Tapas

carnet de cuisine

LAROUSSE

Édition originale

Cet ouvrage a été publié pour la première fois en 2012
sous le titre *Tapas* par McRae Publishing Ltd.

© 2012 McRae Publishing Ltd

Édition : Anne McRae
Direction artistique : Marco Nardi
Photographies : Brent Parker Jones
Textes : Carla Bardi

Édition française

Direction éditoriale : Delphine Blétry
Édition : Coralie Benoit
Traduction : Hélène Nicolas
Direction artistique : Emmanuel Chaspoul
Réalisation : Belle Page, Boulogne
Couverture : Véronique Laporte

ISBN : 978-2-03-587054-4
Dépôt légal : mai 2012
Imprimé en Chine

Sommaire

Bon appétit !

Cet ouvrage présente 100 délicieuses recettes de tapas rapides à préparer. Leur niveau de difficulté est indiqué en tête de chaque recette par les chiffres 1 (pour les simples), 2 (pour les moyennement faciles), et 3 (pour les plus élaborées). Les 25 recettes qui suivent ont été sélectionnées spécialement pour vous mettre l'eau à la bouche ! Vous les retrouverez aux pages indiquées en haut de chaque photographie.

● LES SIMPLISSIMES

Tapenade OLIVES NOIRES & ANCHOIS

AMANDES FRITES
au thym

Salade ANCHOIS, PAIN
& CÂPRES

ANCHOIS
frits

Travers
de PORC ÉPICÉS

Salade ORANGES,
FRUITS SECS & OLIVES

RATATOUILLE

AVOCATS
au thon

Salade
de FÈVES

● LES PLUS LÉGÈRES

NOIX DE SAINT-JACQUES & poivrons

LES TRADITIONNELLES

Toasts ANCHOIS & TOMATES

CHAMPIGNONS
à l'ail

PATATAS
BRAVAS

CREVETTES AIL
& xérès

MIGAS
d'Almeria

PETITS OIGNONS
au miel

Beignets
de CREVETTES GRISES

NOS COUPS DE CŒUR

Tortilla au CHORIZO

Bocadillos JAMBON
& FROMAGE

Boulettes de BŒUF
À LA SAUCE TOMATE

| VOICI LE | PALMARÈS | DE NOS | MEILLEURES | TAPAS ! |

EMPANADAS
végétariens

Croquettes POMMES
DE TERRE & JAMBON

TOMATES FARCIES
au thon

Salade de FOIES
DE POULET AU XÉRÈS

Salade ARTICHAUTS
& FROMAGE

Tapas végétariennes

Salade ARTICHAUTS & FROMAGE

> 4 petits artichauts
> Le jus de 1 citron
> 12 g de menthe
> 2 cuill. à soupe de ciboulette ciselée
> 90 g de manchego en copeaux (fromage de brebis espagnol)

Pour la vinaigrette à l'orange
> Le jus de 1 orange
> 2 cuill. à soupe d'huile d'olive vierge extra
> 1 cuill. à café de vinaigre de xérès
> Sel et poivre du moulin

Pour 4 à 6 personnes • Préparation : 15 min • Difficulté : 1

1. Éliminez le tiers supérieur des artichauts, puis détachez les feuilles externes en les cassant à la base. Coupez chaque artichaut en deux dans le sens de la longueur et retirez le foin à l'aide d'un couteau. Mettez les morceaux d'artichauts dans un saladier et arrosez-les de jus de citron.

2. Préparez la vinaigrette à l'orange. Dans un bol, fouettez le jus d'orange avec l'huile, le vinaigre, du sel et du poivre.

3. Égouttez les artichauts, puis remettez-les dans le saladier. Effeuillez la menthe et ajoutez-la dans le saladier avec la ciboulette. Arrosez de vinaigrette, puis remuez délicatement. Parsemez de copeaux de fromage et servez.

Si cette recette vous plaît, vous aimerez aussi...

Salade **POMMES DE TERRE, POMMES & NOIX**

Salade **ARTICHAUTS & ORANGES**

ARTICHAUTS au jambon

On trouve des amandes dans de nombreuses recettes espagnoles, salées ou sucrées. Ce hors-d'œuvre simple se marie à merveille avec un verre de vin et une tranche de manchego, un fromage de brebis espagnol.

AMANDES FRITES au thym

- › 4 cuill. à soupe d'huile d'olive vierge extra
- › 300 g d'amandes émondées
- › 2 ou 3 cuill. à soupe de feuilles de thym
- › Sel et poivre du moulin

Pour servir
- › Quelques tranches de manchego (fromage de brebis espagnol)

Pour 6 à 8 personnes • Préparation : 5 min • Cuisson : 5 à 8 min • Difficulté : 1

1. Mettez l'huile à chauffer dans une grande poêle à feu moyen et faites frire les amandes de 5 à 8 minutes en remuant régulièrement.

2. Parsemez de thym. Remuez, puis arrêtez le feu. Salez et poivrez.

3. Répartissez les amandes au thym sur une plaque de cuisson à rebord. Laissez légèrement refroidir, puis servez avec des tranches de manchego.

Si cette recette vous plaît, vous aimerez aussi...

Salade ORANGES, FRUITS SECS & OLIVES

AMANDES grillées

Boulettes de VIANDE, AMANDES & PETITS POIS

Salade ORANGES, FRUITS SECS & OLIVES

> 4 cuill. à soupe de raisins secs de Smyrne
> 4 oranges
> 1 oignon rouge
> 20 olives noires dénoyautées
> 2 cuill. à soupe de graines de tournesol
> 2 cuill. à soupe d'amandes émondées hachées

Pour la vinaigrette

> 6 cuill. à soupe d'huile d'olive vierge extra
> 2 cuill. à soupe de vinaigre de framboise
> Sel et poivre du moulin

Pour servir

> Quelques feuilles de menthe

Pour 4 à 6 personnes • Préparation : 15 min • Trempage : 15 min • Réfrigération : 15 min • Difficulté : 1

1. **Mettez** les raisins secs à tremper dans un saladier d'eau chaude pendant 15 minutes, puis égouttez-les. Pelez les oranges à vif. Coupez-les en fines tranches au-dessus d'un bol pour récupérer le jus et disposez-les sur un plat. Pelez l'oignon, puis émincez-le et répartissez-le sur les tranches d'oranges.

2. **Préparez la vinaigrette.** Dans un bol, fouettez l'huile d'olive avec le vinaigre, du sel et du poivre.

3. **Arrosez** la préparation de vinaigrette, puis parsemez de raisins secs. Ajoutez les olives, les graines de tournesol et les amandes. Garnissez de menthe, puis réservez 15 minutes au réfrigérateur et servez.

Salade POMMES DE TERRE, POMMES & NOIX

> 4 pommes de terre
> 2 grosses pommes Granny
> 6 cuill. à soupe de jus de citron
> 2 tiges de céleri branche
> 6 ciboules
> 80 g de raisins secs de Smyrne
> 20 cerneaux de noix
> 25 cl de mayonnaise

Pour servir

> 2 cuill. à soupe de coriandre hachée

Pour 6 à 8 personnes • Préparation : 15 min • Cuisson : 15 à 20 min • Difficulté : 1

1. Pelez les pommes de terre. Faites-les cuire de 15 à 20 minutes dans une casserole d'eau bouillante salée, puis égouttez-les.

2. Pelez les pommes. Évidez-les, coupez-les en dés, puis arrosez-les de jus de citron. Émincez le céleri et hachez les ciboules. Réunissez ces ingrédients dans un saladier avec les raisins secs et les pommes de terre, puis mélangez le tout.

3. Ajoutez les dés de pommes, les cerneaux de noix et la mayonnaise. Mélangez délicatement. Parsemez de coriandre, puis servez.

AMANDES grillées

Pour 2 à 4 personnes • Préparation : 10 min •
Cuisson : 15 min • Difficulté : 1

> 150 g d'amandes décortiquées
> 1 cuill. à soupe de blanc d'œuf
> 1/2 cuill. à soupe de gros sel

1. Préchauffez le four à 180 °C (therm. 6). Répartissez les amandes sur une plaque de cuisson, puis enfournez pour 15 minutes.

2. Battez légèrement le blanc d'œuf avec le sel dans un petit saladier. Incorporez les amandes au mélange. Remettez le tout sur la plaque de cuisson, puis secouez délicatement pour séparer les amandes.

3. Enfournez pour 5 minutes. Laissez refroidir complètement. Conservez les amandes salées dans une boîte hermétique jusqu'au moment de servir.

Salade ARTICHAUTS & ORANGES

Pour 4 personnes • Préparation : 15 min • Difficulté : 1

> 4 artichauts
> Le jus de 1 citron
> 2 oranges
> 150 g de manchego (fromage de brebis espagnol) ou de parmesan en copeaux

> 1 cuill. à soupe de persil haché
> 6 cuill. à soupe d'huile d'olive vierge extra
> Sel et poivre du moulin

1. Éliminez la tige et le tiers supérieur des artichauts. Détachez les feuilles externes en les cassant à la base. Coupez les artichauts en deux. Retirez le foin à l'aide d'un couteau, puis détaillez le reste en petits quartiers. Rassemblez-les dans un grand saladier et arrosez-les avec la moitié du jus de citron.

2. Pelez les oranges à vif, puis détaillez-les en segments en ôtant les membranes blanches. Égouttez les artichauts. Dans un grand saladier, réunissez ces ingrédients avec le fromage et le persil.

3. Arrosez d'huile et du reste du jus de citron, puis salez et poivrez. Mélangez délicatement et servez.

AUBERGINES marinées

Pour 4 personnes • Préparation : 15 min • Dégorgement : 1h •
Réfrigération : 4h • Cuisson : 5 min • Difficulté : 2

> 2 aubergines
> 1 cuill. à soupe de gros sel
> 5 cuill. à soupe d'huile d'olive vierge extra
> 1 poivron rouge
> 4 gousses d'ail
> 1 cuill. à soupe de persil haché

> 100 g d'olives noires dénoyautées
> 12 cl de vinaigre de vin blanc
> 12 cl d'eau
> 1 cuill. à café de poivre noir moulu
> 1 cuill. à café de piment

1. Coupez les aubergines en rondelles de 1 cm d'épaisseur. Mettez-les dans une passoire, puis saupoudrez de gros sel et laissez dégorger 1 heure.

2. Faites chauffer l'huile dans une poêle à feu moyen. Secouez les rondelles d'aubergine pour éliminer le sel, puis laissez-les frire 5 minutes dans l'huile. Égouttez-les sur du papier absorbant.

3. Épépinez le poivron et pelez l'ail, puis émincez le tout. Dans un plat creux, alternez les couches d'aubergines, d'ail, de poivron, de persil et d'olives. Mélangez le vinaigre avec l'eau, le poivre et le piment dans une casserole à feu moyen. Portez à ébullition, puis versez sur la préparation et laissez refroidir. Couvrez et réservez au moins 4 heures au réfrigérateur.

POIVRONS marinés

Pour 4 à 6 personnes • Préparation : 15 min • Repos : 15 min •
Réfrigération : 2 à 12h • Cuisson : 10 à 15 min • Difficulté : 2

> 4 poivrons rouges ou jaunes
> 1 cuill. à soupe de câpres en saumure
> 1 gousse d'ail
> 3 cuill. à soupe d'huile d'olive vierge extra

> 1/2 cuill. à café de zeste de citron non traité
> 2 cuill. à soupe de vinaigre balsamique
> 1/2 cuill. à café de paprika doux fumé

1. Allumez le gril du four. Posez les poivrons sur une plaque de cuisson. Enfournez, puis laissez-les griller jusqu'à ce que la peau noircisse. Glissez-les dans un sac en plastique et laissez reposer 15 minutes. Pelez les poivrons, épépinez-les, puis coupez-les en lamelles et mettez-les dans un plat creux.

2. Rincez les câpres. Pelez l'ail, puis hachez-le. Ajoutez ces ingrédients dans le plat avec l'huile, le zeste de citron, le vinaigre et le paprika. Mélangez bien.

3. Couvrez de film alimentaire et réservez au moins 2 heures au réfrigérateur. Servez à température ambiante.

Toasts ÉPINARDS & POIS CHICHES

> 4 gousses d'ail
> 1/2 oignon
> 1 cuill. à soupe d'huile d'olive vierge extra
> 400 g de pois chiches en conserves
> 350 g d'épinards surgelés décongelés
> 1/2 cuill. à café de cumin en poudre
> 1/2 cuill. à café de sel

Pour servir
> 12 tranches de pain grillé
> 1 filet d'huile d'olive

Pour 6 personnes • Préparation : 15 min • Cuisson : 10 à 15 min • Difficulté : 1

1. Pelez l'ail et le demi-oignon, puis hachez-les finement. Mettez l'huile à chauffer dans une grande poêle à feu moyen. Faites revenir l'ail et l'oignon pendant 3 ou 4 minutes.

2. Égouttez les pois chiches. Ajoutez-les dans la poêle avec les épinards, le cumin et le sel. Remuez à l'aide d'une cuillère en écrasant légèrement les poids chiches, puis laissez mijoter de 5 à 10 minutes.

3. Répartissez la préparation sur les toasts. Arrosez d'un filet d'huile d'olive et servez chaud.

FROMAGE DE CHÈVRE à la sauce verte

> 1 poivron vert
> 2 piments (type *jalapeño*)
> 50 g de feuilles de coriandre
> 25 g de feuilles de menthe
> 4 gousses d'ail
> 1 cuill. à café de paprika fort
> 1 cuill. à café de sel
> 25 cl d'huile d'olive vierge extra
> 2 cuill. à soupe de vinaigre de xérès
> 250 g de fromage de chèvre en bûche

Pour servir (facultatif)
> Quelques tranches de pain

Pour 6 personnes • Préparation : 15 min • Difficulté : 1

1. Épépinez le poivron et les piments, puis hachez le poivron. Dans le bol d'un robot, réunissez ces ingrédients avec la coriandre, la menthe, l'ail, le paprika, le sel et la moitié de l'huile. Mixez jusqu'à l'obtention d'une pâte homogène. Ajoutez le reste de l'huile et le vinaigre de xérès, puis mixez de nouveau.

2. Disposez le fromage sur un plat. Nappez-le de sauce et servez éventuellement avec du pain.

Avec plus de 300 millions d'oliviers, l'Espagne est le plus grand producteur d'olives au monde. Près de 90 % de sa production est transformée en huile ; le reste est destiné au marché des olives de table. Pour cette recette, choisissez un mélange d'olives noires et vertes de différentes tailles.

OLIVES MARINÉES & tomates cerises

> 1 orange non traitée
> 1 piment vert
> 200 g d'olives noires et vertes
> 2 cuill. à soupe d'huile d'olive vierge extra
> 1 cuill. à soupe de jus de citron
> 2 brins de romarin
> 1 petit poivron rouge
> 1 petit poivron jaune
> 20 tomates cerises

Pour servir
> Quelques tranches de pain

Pour 8 personnes • Préparation : 15 min • Marinade : 1 ou 2 jours • Difficulté : 1

1. Lavez l'orange et coupez-la en petits morceaux. Épépinez le piment, puis émincez-le. Dans un grand saladier, mélangez l'orange avec le piment, les olives, l'huile, le jus de citron et le romarin. Couvrez de film alimentaire, puis réservez 1 ou 2 jours au réfrigérateur, en remuant régulièrement.

2. Une heure avant de servir, épépinez les poivrons et détaillez-les en petits morceaux. Coupez les tomates cerises en quatre. Transférez ces ingrédients dans un plat de service. Ajoutez le contenu du saladier, puis remuez bien. Servez à température ambiante avec du pain.

Si cette recette vous plaît, vous aimerez aussi...

AMANDES FRITES
au thym

AUBERGINES
marinées

POIVRONS
marinés

TOMATES mimosa

> 12 petites tomates
> 6 œufs durs
> 120 g d'aïoli (voir la recette p. 82)
> 2 cuill. à soupe de persil haché
> Sel et poivre du moulin

Pour servir
> Persil ciselé

Pour 6 à 12 personnes • Préparation : 30 min • Réfrigération : 1h •
Difficulté : 2

1. Faites une incision en T à la base des tomates à l'aide
   d'un couteau. Plongez-les dans une casserole d'eau
   bouillante pendant 10 secondes, puis mettez-les
   dans un saladier d'eau glacée et pelez-les.

2. Coupez le dessus des tomates et réservez
   les chapeaux. Ôtez une fine rondelle à la base
   pour qu'elles tiennent droites, puis évidez-les
   délicatement avec une cuillère à café.

3. Écalez les œufs, puis écrasez-les dans un saladier
   avec l'aïoli, le persil haché, du sel et du poivre. Garnissez
   les tomates de la préparation à l'aide d'une cuillère à café,
   puis remettez les chapeaux en place. Réservez 1 heure
   au réfrigérateur. Parsemez de persil, puis servez.

TOMATES AU FOUR à l'andalouse

- › 6 grosses tomates
- › 100 g de chapelure
- › 3 cuill. à soupe de persil haché
- › 1 oignon
- › 30 g de beurre
- › 1 cuill. à soupe de thym haché
- › 180 g de manchego râpé (fromage de brebis espagnol)
- › Sel et poivre du moulin

Pour 6 personnes • Préparation : 15 min • Cuisson : 25 min • Difficulté : 1

1. Préchauffez le four à 180 °C (therm. 6). Coupez le dessus des tomates, prélevez la chair à l'aide d'une cuillère à café et mettez-la dans un saladier. Ajoutez la chapelure et le persil dans le saladier, salez, poivrez, puis mélangez bien le tout.

2. Pelez l'oignon et hachez-le. Faites fondre le beurre dans une poêle, puis faites revenir l'oignon 3 ou 4 minutes. Ajoutez le contenu du saladier et le thym. Laissez mijoter quelques minutes, puis incorporez la moitié du manchego à la préparation et ôtez du feu.

3. Répartissez la garniture dans les tomates. Parsemez du reste du fromage, puis enfournez pour 20 minutes. Servez chaud.

Les tortillas espagnoles, à ne pas confondre avec les tortillas mexicaines, sont des omelettes plates garnies de pommes de terre. Elles sont généralement servies en entrée, mais elles peuvent aussi se déguster au petit déjeuner ou constituer un repas léger.

Tortilla FROMAGE & ROQUETTE

> 500 g de pommes de terre
> 1 gros oignon
> 4 cuill. à soupe d'huile d'olive vierge extra
> 25 cl d'eau
> 5 gros œufs
> 60 g de manchego râpé (fromage de brebis espagnol)
> Sel et poivre du moulin

Pour servir
> 50 g de roquette

Pour 4 à 6 personnes • Préparation : 15 min • Cuisson : 20 min • Difficulté : 1

1. Pelez les pommes de terre et détaillez-les en rondelles de 1 cm d'épaisseur. Pelez l'oignon, puis émincez-le. Mettez l'huile à chauffer à feu moyen dans une poêle pouvant aller au four. Faites revenir les pommes de terre et l'oignon en remuant jusqu'à ce qu'ils grésillent. Ajoutez l'eau et laissez mijoter 10 minutes à feu doux.

2. Retirez l'excès d'eau. Dans un saladier, battez légèrement les œufs, puis versez-les dans la poêle. Salez, poivrez et mélangez le tout. Parsemez de manchego, puis laissez mijoter 5 minutes à feu moyen.

3. Allumez le gril du four à température maximale. Glissez la poêle sous le gril et laissez cuire jusqu'à ce que le fromage soit doré. Parsemez de roquette et servez aussitôt.

Si cette recette vous plaît, vous aimerez aussi...

Galettes POMMES DE TERRE & FROMAGE

Tortilla au CHORIZO

Tortilla JAMBON & MANCHEGO

LÉGUMES grillés

Pour 4 à 6 personnes • Préparation : 10 min •
Cuisson : 25 à 35 min • Difficulté : 1

› 4 courgettes
› 1 poivron rouge
› 1 poivron jaune
› 1 grosse aubergine
› 12 cl d'huile d'olive
  vierge extra
› Sel et poivre du moulin

1. Tranchez finement les courgettes dans le sens
    de la longueur. Épépinez les poivrons et coupez-les
    en lamelles, puis détaillez l'aubergine en fines
    rondelles. Mettez un gril à chauffer sur feu vif.
    Badigeonnez les morceaux de légumes d'un peu
    d'huile.

2. Faites griller les tranches de courgettes
    3 ou 4 minutes de chaque côté, puis disposez-les
    dans un plat de service. Mettez les poivrons
    et les rondelles d'aubergine à griller 5 minutes
    de chaque côté. Ajoutez-les dans le plat.

3. Salez, poivrez, puis arrosez du reste d'huile.
    Servez à température ambiante.

POMMES DE TERRE rissolées

Pour 6 à 8 personnes • Préparation : 15 min •
Cuisson : 20 à 25 min • Difficulté : 1

› 750 g de pommes de terre
  nouvelles
› 12 cl d'huile d'olive
  vierge extra
› 1/2 cuill. à café de paprika
  doux

› 6 tomates séchées à l'huile
› 1 cuill. à soupe de câpres
  en saumure
› 1 cuill. à café d'origan séché
› Sel

1. Faites cuire les pommes de terre 10 minutes
    dans une grande casserole d'eau bouillante salée.
    Égouttez-les, puis coupez-les en deux.

2. Mettez l'huile à chauffer dans une grande poêle
    à feu moyen. Faites sauter les demi-pommes de terre
    pendant 5 minutes.

3. Saupoudrez de paprika et de sel. Égouttez
    les tomates séchées, hachez-les, puis rincez
    les câpres. Ajoutez ces ingrédients dans la poêle.
    Laissez revenir le tout de 3 à 5 minutes. Saupoudrez
    d'origan, puis prolongez la cuisson de 1 minute.
    Servez chaud.

Boulettes AUBERGINES & PARMESAN

Pour 6 à 8 personnes • Préparation : 15 min •
Cuisson : 25 min • Difficulté : 2

› 2 aubergines
› 1 gousse d'ail
› 2 gros œufs
› 1 cuill. à soupe de persil
  ciselé
› 10 feuilles de basilic

› 4 cuill. à soupe de parmesan
  râpé
› 150 g de chapelure
› 1 l d'huile d'olive
  (pour la friture)
› Sel et poivre du moulin

1. Préchauffez le four à 200 °C (therm. 6-7). Coupez
    les aubergines en deux, puis posez-les sur une plaque
    de cuisson, côté coupé dessus. Enfournez pour
    20 minutes. Prélevez la chair des aubergines, puis
    écrasez-la grossièrement à l'aide d'une fourchette.

2. Pelez l'ail et hachez-le. Dans un saladier, battez
    les œufs, puis ajoutez la chair d'aubergine, le persil,
    le basilic, l'ail et le parmesan. Salez, poivrez et mélangez.
    Incorporez progressivement de la chapelure jusqu'à
    l'obtention d'une texture ferme. Façonnez des boulettes
    et roulez-les dans le reste de la chapelure.

3. Mettez l'huile à chauffer dans une friteuse. Faites cuire
    les boulettes 5 minutes et retirez-les avec une écumoire.
    Égouttez-les sur du papier absorbant et servez.

Beignets & SALSA DE TOMATES

Pour 6 à 8 personnes • Préparation : 20 min •
Cuisson : 20 à 30 min • Difficulté : 2

› 4 gros œufs
› 400 g de pain rassis
› 60 g de manchego râpé
  (fromage de brebis
  espagnol)
› 2 cuill. à soupe de persil
  ciselé
› 1 l d'huile d'olive
  (pour la friture)
› Sel et poivre du moulin

Pour la salsa de tomates
› 1 oignon rouge
› 500 g de tomates
› 2 piments
› 2 cuill. à soupe de coriandre
  hachée
› 2 cuill. à soupe de jus
  de citron vert

1. Préparez la salsa de tomates. Pelez l'oignon,
    puis hachez-le avec les tomates et les piments.
    Réunissez tous les ingrédients dans un saladier,
    salez, poivrez, puis mélangez.

2. Battez les œufs dans un grand bol. Émiettez le pain
    et ajoutez-le dans le bol avec la moitié du fromage
    et le persil. Assaisonnez, puis façonnez les beignets.

3. Mettez l'huile à chauffer dans une friteuse et faites
    frire les beignets 4 ou 5 minutes en plusieurs fois.
    Retirez-les de l'huile avec une écumoire, puis égouttez-les
    sur du papier absorbant. Posez-les dans un plat,
    parsemez du reste de manchego et servez.

ÉPINARDS AUX RAISINS & pignons de pin

> 2 kg d'épinards
> 45 g de beurre
> 135 g de raisins secs
> 135 g de pignons de pin
> Sel

Pour 8 à 12 personnes • Préparation : 5 min • Cuisson : 10 à 15 min • Difficulté : 1

1. Plongez les épinards dans une grande casserole d'eau bouillante salée et laissez-les cuire de 3 à 5 minutes. Égouttez-les, puis pressez-les pour en extraire le maximum d'eau.

2. Faites fondre le beurre dans une sauteuse à feu moyen. Laissez revenir les raisins secs et les pignons de pin de 3 à 5 minutes.

3. Ajoutez les épinards dans la sauteuse. Prolongez la cuisson de 5 minutes en remuant régulièrement, puis salez. Servez chaud.

CHAMPIGNONS farcis

> 2 ciboules
> 1 poivron rouge
> 3 tranches de pain blanc dur de la veille
> 100 g de fromage de chèvre frais
> 25 g de coriandre hachée
> 60 g de manchego vieux (fromage de brebis espagnol) ou de parmesan râpé
> 1/2 cuill. à café de sel
> 1 pincée de poivre noir moulu
> 48 gros champignons de Paris (environ 750 g)

Pour 8 à 12 personnes • Préparation : 30 min •
Cuisson : 15 à 20 min • Difficulté : 1

1. Préchauffez le four à 180 °C (therm. 6). Retirez la partie vert foncé des ciboules et hachez le reste. Épépinez le poivron, puis hachez-le. Retirez la croûte du pain et mettez la mie dans le bol d'un robot. Mixez finement, puis transférez la chapelure obtenue dans un saladier. Dans le bol du robot, réunissez les ciboules, le poivron et le fromage de chèvre. Mixez, puis ajoutez la préparation dans le saladier. Incorporez la coriandre, la moitié du manchego, le sel et le poivre à la garniture.

2. Coupez les pieds des champignons, puis jetez-les. Rincez les chapeaux, puis posez-les à l'envers sur une grande plaque de cuisson et déposez 1 cuillerée à café de garniture sur chacun. Parsemez du reste du manchego.

3. Enfournez et laissez cuire de 15 à 20 minutes. Servez chaud.

Les empanadas sont des chaussons fourrés cuits au four ou frits. Ils sont très populaires en Espagne et au Portugal, où ils se dégustent aussi bien en hors-d'œuvre qu'en amuse-bouche.

EMPANADAS végétariens

> 1 gros œuf
> 300 g de farine
> 1/2 cuill. à café de sel
> 60 g de beurre
> 2 cuill. à soupe d'huile d'olive vierge extra
> 6 cuill. à soupe d'eau glacée

Pour la garniture
> 1 oignon
> 2 gousses d'ail
> 1 poivron rouge
> 1/2 poivron vert
> 2 tomates
> 3 cuill. à soupe d'huile d'olive vierge extra
> 1 gros œuf
> Sel et poivre du moulin

Pour 6 personnes • Préparation : 30 min • Réfrigération : 2 h • Cuisson : 20 min • Difficulté : 2

1. Battez l'œuf dans un bol, puis versez-le dans le bol d'un robot. Ajoutez la farine, le sel, le beurre et l'huile. Mixez le tout, puis incorporez progressivement l'eau jusqu'à l'obtention d'une pâte. Farinez le plan de travail. Pétrissez la pâte pendant 1 minute, puis façonnez une boule. Enveloppez-la de film alimentaire et réservez 2 heures au réfrigérateur.

2. Préchauffez le four à 190 °C (therm. 6-7). Huilez une plaque de cuisson, puis enfournez-la.

3. Préparez la garniture. Pelez l'oignon et l'ail, puis hachez-les. Épépinez les poivrons et hachez-les avec les tomates. Mettez l'huile à chauffer dans une poêle à feu moyen. Faites revenir l'oignon et l'ail pendant 4 minutes. Ajoutez les poivrons et les tomates. Salez, poivrez, puis laissez mijoter 15 minutes.

4. Farinez le plan de travail. Étalez la pâte sur 3 mm, puis coupez 6 cercles de 18 cm de diamètre. Déposez 1 cuillerée à soupe de garniture sur la moitié de chaque cercle. Dans un bol, fouettez l'œuf, puis badigeonnez-en les bords des cercles. Rabattez la pâte sur la garniture et pressez délicatement les bords. Déposez les chaussons sur la plaque de cuisson, puis enfournez pour 20 minutes. Servez chaud.

POIVRONS farcis

> 6 poivrons rouges de même taille
> 1 petit oignon
> 3 cuill. à soupe d'huile d'olive vierge extra
> 250 g de porc haché
> 1 grosse tomate
> 300 g de riz rond espagnol (type Bomba de Calasparra)
> 1 cuill. à soupe de persil ciselé
> 1/2 cuill. à café de safran
> Sel

Pour 6 personnes • Préparation : 30 min • Cuisson : 1h40 • Difficulté : 2

1. Préchauffez le four à 180 °C (therm. 6). Coupez le dessus des poivrons. Réservez les chapeaux, puis évidez délicatement le reste à l'aide d'une petite cuillère.

2. Pelez l'oignon et hachez-le. Mettez l'huile à chauffer dans une grande poêle à feu moyen, puis faites sauter l'oignon 3 ou 4 minutes. Ajoutez le porc et prolongez la cuisson de 3 ou 4 minutes. Pendant ce temps, pelez la tomate, puis hachez-la. Incorporez-la à la préparation et ajoutez le riz, le persil, le safran et du sel.

3. Garnissez les poivrons de la préparation, puis posez-les debout dans un petit plat allant au four. Couvrez d'une feuille d'aluminium et enfournez pour 1 heure 30. Le riz va cuire dans le jus des légumes. S'il n'est pas tendre après 1 heure de cuisson, ajoutez quelques cuillerées d'eau dans le plat. Servez chaud.

POIVRONS grillés

- 1 gousse d'ail
- 50 cl d'huile d'olive vierge extra
- 2 cuill. à café de paprika doux fumé
- 1 cuill. à soupe de poivre noir en grains
- 1 cuill. à soupe de graines de fenouil
- 8 poivrons rouges longs
- 8 poivrons jaunes longs
- 30 cl de vinaigre de vin blanc
- 30 cl d'eau
- 1 cuill. à café de sel

Pour 12 à 16 personnes • Préparation : 30 min • Repos : 15 min • Cuisson : 20 à 25 min • Difficulté : 2

1. Pelez l'ail, puis émincez-le. Dans une casserole, mélangez-le avec l'huile et le paprika. Faites cuire 5 minutes à feu doux, puis laissez refroidir. Passez le mélange dans un chinois et jetez l'ail.

2. Faites griller le poivre et les graines de fenouil 1 minute dans une poêle antiadhésive à feu moyen. Ajoutez l'huile au paprika, puis réservez le tout.

3. Allumez le gril du four à température maximale. Posez les poivrons sur 2 plaques de cuisson. Enfournez sous le gril et laissez griller en les retournant régulièrement jusqu'à ce que la peau noircisse. Mettez les poivrons dans un sac en plastique et laissez refroidir 15 minutes. Pelez les poivrons, épépinez-les, puis tranchez-les grossièrement.

4. Réunissez le vinaigre, l'eau et le sel dans une grande casserole. Portez à ébullition, puis ajoutez les poivrons. Laissez mijoter 3 minutes. Égouttez-les, puis transférez-les dans l'huile épicée. Servez les poivrons dans l'huile.

Cette recette traditionnelle est originaire de Murcie, au sud-est de l'Espagne. Il en existe de nombreuses variantes. Dans certaines régions, 2 ou 3 œufs légèrement battus sont incorporés aux légumes peu de temps avant la fin de la cuisson.

RATATOUILLE

- 2 pommes de terre
- 1 gros oignon
- 1 poivron rouge
- 1 poivron vert
- 1 aubergine
- 1 grosse courgette
- 4 grosses tomates
- 4 cuill. à soupe d'huile d'olive vierge extra
- 4 cuill. à soupe d'eau
- Sel et poivre du moulin

Pour 4 à 6 personnes • Préparation : 10 min • Cuisson : 35 à 40 min • Difficulté : 1

1. Épluchez les pommes de terre, puis coupez-les en dés. Pelez l'oignon et hachez-le finement. Épépinez les poivrons, puis détaillez-les en petits morceaux. Coupez l'aubergine et la courgette en petits dés. Hachez grossièrement les tomates.

2. Mettez l'huile à chauffer dans une grande poêle à feu moyen, puis faites sauter les dés de pomme de terre de 8 à 10 minutes. Ajoutez l'oignon et les poivrons. Prolongez la cuisson de 10 minutes en remuant régulièrement.

3. Incorporez les dés d'aubergine et de courgette à la préparation, puis laissez cuire 5 minutes.

4. Ajoutez les tomates dans la poêle. Salez, poivrez, puis laissez cuire, jusqu'à ce que les légumes soient tendres. Si nécessaire, ajoutez de l'eau. Servez chaud ou à température ambiante.

Si cette recette vous plaît, vous aimerez aussi...

AUBERGINES
marinées

Salade de LÉGUMES
GRILLÉS

Roulés d'AUBERGINES
À LA CORIANDRE

Salade de LÉGUMES GRILLÉS

- 2 grosses tomates fermes
- 2 poivrons rouges
- 1 poivron vert
- 2 aubergines
- 1 gros oignon
- 6 cuill. à soupe d'huile d'olive vierge extra
- 2 gousses d'ail
- 2 cuill. à soupe de vinaigre de vin rouge
- Sel et poivre du moulin

Pour 6 à 8 personnes • Préparation : 15 min • Cuisson : 20 à 25 min • Difficulté : 1

1. Mettez un gril à chauffer sur feu moyen ou allumez un barbecue. Tranchez les tomates. Épépinez les poivrons et coupez-les en gros morceaux. Détaillez l'aubergine en tranches épaisses. Pelez l'oignon, coupez-le en quatre, puis séparez ses couches. Badigeonnez ces ingrédients de 2 cuillerées à soupe d'huile d'olive.

2. Faites griller tous les légumes de 20 à 25 minutes en les retournant régulièrement et en procédant en plusieurs fois.

3. Rassemblez les légumes grillés dans un plat de service creux. Pelez l'ail, puis émincez-le et ajoutez-le dans le plat avec le reste de l'huile. Arrosez de vinaigre, salez, poivrez, remuez délicatement, puis servez.

PETITS OIGNONS au miel

> 20 petits oignons blancs
> 3 cuill. à soupe d'huile d'olive vierge extra
> 3 cuill. à soupe de miel
> 1 cuill. à café de graines de cumin
> Sel et poivre du moulin

Pour 4 à 6 personnes • Préparation : 15 min • Cuisson : 20 à 30 min • Difficulté : 1

1. **Pelez** les oignons. Portez de l'eau salée à ébullition dans une grande casserole. Plongez les oignons dans l'eau bouillante, puis laissez mijoter 20 minutes. Égouttez en réservant 2 cuillerées à soupe d'eau de cuisson.

2. **Réunissez** les oignons, l'eau réservée, l'huile, le miel et les graines de cumin dans une sauteuse. Salez, poivrez, puis faites cuire le tout sur feu moyen en remuant régulièrement, jusqu'à ce que le liquide soit évaporé et que les oignons soient dorés. Servez chaud ou à température ambiante.

Cette sauce au piment rouge (*mojo rojo*) est originaire des îles Canaries. Elle peut se cuisiner avec des poivrons séchés de différentes variétés (en vente dans les épiceries orientales ou sur Internet).

POMMES DE TERRE & sauce pimentée

› 1 kg de petites pommes de terre

Pour la sauce pimentée

› 4 poivrons séchés
› 12 cl de vinaigre de vin rouge
› 2 tranches de pain blanc dur de la veille
› 6 gousses d'ail
› 2 cuill. à café de piment rouge en poudre
› 1/2 cuill. à café de cumin en poudre
› 1/2 cuill. à café de sel
› 18 cl d'huile d'olive vierge extra

Pour 6 à 8 personnes • Préparation : 15 min • Trempage : 10 min • Cuisson : 15 à 20 min • Difficulté : 1

1. Faites cuire les pommes de terre de 15 à 20 minutes dans une grande casserole d'eau bouillante salée. Égouttez-les, puis remettez-les dans la casserole.

2. Préparez la sauce pimentée. Réunissez les poivrons séchés et le vinaigre dans un saladier. Laissez tremper 10 minutes, puis égouttez en réservant le vinaigre. Retirez la croûte du pain. Pelez l'ail, puis mettez-le dans le bol d'un robot avec les poivrons, la mie de pain, le piment, le cumin et le sel. Mixez grossièrement. Sans arrêter l'appareil, incorporez lentement l'huile à la préparation. Ajoutez un peu du vinaigre réservé, selon votre goût. Nappez les pommes de terre de sauce, puis servez.

Si cette recette vous plaît, vous aimerez aussi...

POIVRONS
grillés

**PATATAS
BRAVAS**

CALMARS FRITS
& sauce pimentée

AUBERGINES panées

Pour 4 à 6 personnes • Préparation : 10 min •
Dégorgement : 30 min • Cuisson : 10 à 20 min • Difficulté : 2

> 2 aubergines
> 1 cuill. à soupe de gros sel
> 1 gros œuf
> 12 cl de lait
> 2 gousses d'ail
> 150 g de chapelure

> 50 g de farine
> 1 l d'huile d'olive
  (pour la friture)

Pour servir
> Quelques feuilles de persil

1. Coupez les aubergines en tranches de 1 cm d'épaisseur, puis mettez-les dans une passoire. Saupoudrez de gros sel et laissez dégorger 30 minutes. Secouez les tranches pour éliminer le sel, puis essuyez-les à l'aide de papier absorbant.

2. Fouettez l'œuf avec le lait dans un bol. Pilez l'ail et mélangez-le avec la chapelure dans un saladier. Mettez la farine dans un plat. Roulez les tranches d'aubergines dans la farine. Trempez-les dans le mélange à base d'œuf, puis dans la chapelure.

3. Mettez l'huile à chauffer dans une friteuse à feu moyen. Faites frire les morceaux d'aubergines de 5 à 7 minutes en procédant en 2 ou 3 fois. Retirez-les de l'huile avec une écumoire, puis égouttez-les sur du papier absorbant. Parsemez de persil et servez.

Galettes COURGETTES & FROMAGE

Pour 4 à 6 personnes • Préparation : 30 min •
Réfrigération : 20 min • Cuisson : 40 min • Difficulté : 2

> 200 g de riz long grain
> 50 cl d'eau
> 1 gros oignon
> 3 cuill. à soupe de persil ciselé
> 2 grosses courgettes râpées
> 45 g de fontina
  ou d'édam râpé

> 90 g de fromage de chèvre frais
> 2 gros œufs
> 2 cuill. à soupe de farine
> 2 cuill. à soupe d'huile d'olive vierge extra
> Sel et poivre du moulin

1. Réunissez le riz et l'eau dans une casserole. Portez à ébullition, puis baissez le feu et faites mijoter 15 minutes à couvert. Ôtez du feu et laissez reposer 5 minutes.

2. Pendant ce temps, pelez l'oignon et hachez-le. Mettez-le dans la casserole avec le persil, les courgettes, la fontina, le fromage de chèvre, les œufs et la farine. Salez, poivrez, puis mélangez. Réservez 20 minutes au réfrigérateur.

3. Mettez l'huile à chauffer dans une grande poêle. Pour chaque galette, faites frire 2 cuillerées à soupe de pâte 3 ou 4 minutes de chaque côté. Égouttez sur du papier absorbant, puis servez aussitôt.

Galettes POMMES DE TERRE & FROMAGE

Pour 4 à 6 personnes • Préparation : 30 min •
Réfrigération : 1 ou 2h • Cuisson : 10 à 15 min • Difficulté : 1

> 3 ciboules
> 1 gros œuf
> 380 g de purée de pommes de terre
> 120 g de manchego râpé (fromage de brebis espagnol)
> 3 cuill. à soupe d'aneth ciselée
> 1 cuill. à soupe de jus de citron

> Le zeste râpé de 1/2 citron non traité
> 75 g de farine
> 12 cl d'huile d'olive vierge extra
> Poivre noir moulu

Pour servir
> Quelques feuilles d'aneth

1. Émincez les ciboules. Battez l'œuf dans un saladier avec la purée, le fromage, l'aneth, le jus et le zeste de citron. Mélangez et poivrez. Couvrez de film alimentaire, puis réservez 1 ou 2 heures au réfrigérateur.

2. Façonnez des boulettes de pâte, aplatissez-les légèrement, puis retournez-les dans la farine. Secouez-les pour éliminer l'excès de farine.

3. Mettez l'huile à chauffer dans une sauteuse. Faites frire les galettes 5 minutes de chaque côté en procédant en plusieurs fois. Retirez-les de l'huile avec une écumoire, égouttez-les sur du papier absorbant, parsemez d'aneth et servez.

ASPERGES PANÉES & sauce à la menthe

Pour 4 personnes • Préparation : 10 min •
Cuisson : 20 à 25 min • Difficulté : 1

> 500 g d'asperges vertes
> 2 gros œufs
> 3 cuill. à soupe de parmesan râpé
> 1 l d'huile végétale (pour la friture)

> 150 g de chapelure
> 12 cl de yaourt nature
> 12 cl de mayonnaise
> 1 cuill. à soupe de menthe ciselée
> Sel

1. Préparez les asperges, puis plongez-les dans une casserole d'eau bouillante salée. Laissez-les cuire 5 minutes. Égouttez-les, puis essuyez-les délicatement à l'aide d'un torchon.

2. Fouettez les œufs avec le parmesan dans un saladier. Mettez l'huile à chauffer dans une friteuse. Plongez les asperges dans le mélange à base d'œuf, puis roulez-les dans la chapelure. Faites-les frire 4 ou 5 minutes en procédant en plusieurs fois. Égouttez-les sur du papier absorbant.

3. Fouettez le yaourt avec la mayonnaise et la menthe dans un bol. Salez les asperges, puis servez-les avec la sauce à la menthe.

La sauce à la coriandre (*mojo verde*) est un grand classique de la cuisine des îles Canaries. Elle se marie à merveille avec ces roulés d'aubergines, mais peut aussi accompagner des pommes de terre, avec ou à la place de la sauce au piment rouge (voir la recette p. 34). Elle est également délicieuse sur un poisson grillé ou cuit au four.

Roulés d'AUBERGINES À LA CORIANDRE

> 2 ou 3 aubergines
> 4 cuill. à soupe d'huile d'olive vierge extra
> 2 gousses d'ail
> 200 g de fromage frais (type ricotta)
> 80 g de tomates séchées à l'huile
> 2 poivrons rouges grillés en bocal

Pour la sauce à la coriandre
> 4 gousses d'ail
> 1 gros bouquet de coriandre
> 1/2 cuill. à café de sel
> 1 pincée de cumin en poudre
> 18 cl d'huile d'olive vierge extra
> 4 ou 5 cuill. à soupe d'eau
> 1 ou 2 cuill. à café de vinaigre de xérès (selon votre goût)

Pour servir
> 3 pains pitas complets

Pour 6 à 12 personnes • Préparation : 15 min • Refroidissement : 10 min • Cuisson : 15 à 20 min • Difficulté : 2

1. Mettez un gril à chauffer sur feu moyen. Coupez les aubergines en 12 tranches fines dans le sens de la longueur. Badigeonnez-les de 2 cuillerées à soupe d'huile, puis faites-les griller des 2 côtés jusqu'à ce qu'elles soient tendres. Laissez-les refroidir.

2. Pelez l'ail et tranchez-le. Mettez le reste de l'huile à chauffer dans une poêle à feu moyen et faites sauter l'ail 2 minutes. Laissez refroidir 10 minutes, puis incorporez-le à la ricotta dans un saladier.

3. Préparez la sauce à la coriandre. Pelez l'ail. Dans le bol d'un robot, mixez-le avec la coriandre, le sel et le cumin. Sans arrêter l'appareil, versez l'huile en filet dans le bol du robot. Ajoutez de l'eau jusqu'à l'obtention d'une sauce homogène, puis incorporez le vinaigre à la préparation.

4. Égouttez les tomates séchées et les poivrons. Hachez les tomates, puis coupez les poivrons en lamelles. Tartinez les aubergines de ricotta à l'ail et parsemez de tomates séchées. Ajoutez une lamelle de poivron, puis roulez les aubergines et disposez-les dans un plat. Coupez chaque pain pita en 4 quartiers et déposez un roulé d'aubergine sur chacun. Nappez d'un filet de sauce à la coriandre, puis servez.

CHAMPIGNONS à l'ail

> 4 cuill. à soupe d'huile d'olive vierge extra
> 350 g de champignons de Paris
> 8 gousses d'ail
> 3 cuill. à soupe de xérès sec
> 2 cuill. à soupe de jus de citron
> 1/2 cuill. à café de piment rouge en poudre
> 1 pincée de paprika fumé
> Sel et poivre du moulin

Pour servir
> 2 cuill. à soupe de persil ciselé
> Pain (facultatif)

Pour 4 à 6 personnes • Préparation : 15 min • Cuisson : 8 à 10 min • Difficulté : 1

1. Mettez l'huile à chauffer dans une grande poêle à feu moyen. Coupez les champignons en quatre, puis faites-les sauter 2 ou 3 minutes dans la poêle.

2. Pelez l'ail et hachez-le finement. Ajoutez-le dans la poêle avec le xérès, le jus de citron, le piment, le paprika, du sel et du poivre. Laissez mijoter 5 minutes.

3. Parsemez de persil et servez chaud, éventuellement avec du pain.

PATATAS BRAVAS

> 1 kg de pommes de terre
> 20 cl d'huile d'olive vierge extra
> 1 cuill. à soupe de persil ciselé
> Sel et poivre du moulin

Pour la sauce
> 3 cuill. à soupe d'huile d'olive vierge extra
> 2 gousses d'ail
> 2 cuill. à soupe d'oignon haché
> 1½ cuill. à soupe de paprika fort
> 1 filet de Tabasco
> 1 pincée de thym en poudre
> 12 cl de ketchup
> 12 cl de mayonnaise

Pour 6 à 8 personnes • Préparation : 15 min • Cuisson : 20 min •
Difficulté : 2

1. Préparez la sauce. Mettez l'huile à chauffer dans une poêle
   à feu moyen. Pilez l'ail, puis faites-le revenir 3 ou 4 minutes
   avec l'oignon. Ôtez du feu, puis incorporez le paprika,
   le Tabasco et le thym. Transférez le contenu de la poêle
   dans un saladier. Ajoutez le ketchup et la mayonnaise
   à la préparation, salez, poivrez et réservez.

2. Pelez les pommes de terre. Détaillez-les en dés de 2,5 cm
   de côté et salez légèrement. Mettez l'huile à chauffer
   dans une sauteuse à feu moyen. Faites rissoler les pommes
   de terre en procédant en plusieurs fois, puis égouttez-les
   sur du papier absorbant. Mélangez les pommes de terre
   avec la sauce. Garnissez de persil et servez.

Tapas de la mer

NOIX DE SAINT-JACQUES & poivrons

- 60 g de filets d'anchois en conserve
- 6 cuill. à soupe d'huile d'olive vierge extra
- 500 g de grosses noix de saint-jacques
- 1 gros poivron rouge
- 1 gros poivron orange ou jaune
- 1 oignon rouge
- 2 gousses d'ail
- 1½ cuill. à café de zeste de citron non traité râpé
- 1 cuill. à café de zeste de citron vert non traité râpé
- Poivre noir moulu

Pour servir
- Quelques feuilles de persil

Pour 6 à 8 personnes • Préparation : 15 min • Cuisson : 15 min • Difficulté : 1

1. Égouttez les anchois. Mettez-les à chauffer avec l'huile dans une grande poêle à feu moyen en remuant constamment jusqu'à ce qu'ils se désagrègent. Faites frire les noix de saint-jacques dans la poêle 3 ou 4 minutes de chaque côté, puis retirez-les à l'aide d'une écumoire et réservez-les.

2. Épépinez les poivrons. Pelez l'oignon et l'ail. Émincez l'ail, puis hachez les poivrons et l'oignon. Ajoutez ces ingrédients dans la poêle avec les zestes de citron. Remuez. Poivrez, puis faites sauter le tout pendant 10 minutes.

3. Remettez les noix de saint-jacques dans la poêle pour les réchauffer. Parsemez de persil et servez chaud.

Si cette recette vous plaît, vous aimerez aussi...

Salade de FRUITS DE MER GRILLÉS

SAINT-JACQUES À LA VANILLE & salsa de tomates

PÉTONCLES au four

Tapenade OLIVES NOIRES & ANCHOIS

> 1 baguette
> 60 g de filets d'anchois en conserve
> 1 gousse d'ail
> 2 cuill. à soupe de câpres en saumure
> 400 g d'olives noires dénoyautées
> 1 cuill. à café de thym
> 1 cuill. à café de romarin
> 3 cuill. à soupe de jus de citron
> 4 cuill. à soupe d'huile d'olive vierge extra

Pour servir
> Quelques câpres en saumure

Pour 6 à 8 personnes • Préparation : 15 min • Cuisson : 4 ou 5 min • Difficulté : 1

1. Préchauffez le four à 200 °C (therm. 6-7). Ouvrez la baguette en deux. Coupez chaque moitié en demi-rondelles et disposez-les sur une plaque de cuisson. Enfournez pour 5 minutes, puis réservez.

2. Égouttez les anchois. Pelez l'ail, puis hachez-le. Rincez les câpres. Réunissez ces ingrédients dans le bol d'un robot avec les olives, le thym, le romarin et le jus de citron. Mixez lentement en ajoutant progressivement l'huile jusqu'à l'obtention d'une pâte homogène.

3. Tartinez les toasts de tapenade. Garnissez chaque toast de 1 ou 2 câpres et servez.

Toasts ANCHOIS & TOMATES

> 60 g de filets d'anchois
>   en conserve
> 12 tomates cerises
> 1 baguette
> 4 cuill. à soupe d'huile d'olive
>   vierge extra
> Poivre noir moulu

Pour 8 à 10 personnes • Préparation : 10 min • Difficulté : 1

1. Égouttez les anchois et coupez les tomates cerises
   en morceaux. Tranchez la baguette en biseau,
   puis disposez les tranches sur une planche à découper.

2. Répartissez les morceaux de tomates et les anchois
   sur les rondelles de pain. Arrosez d'un filet d'huile, poivrez,
   puis servez.

Pour réussir parfaitement cette recette, choisissez un pain dense, des tomates cerises goûteuses, de la menthe fraîche et des olives de qualité supérieure.

Salade ANCHOIS, PAIN & CÂPRES

- › 4 tranches épaisses de pain
- › 12 filets d'anchois en conserve
- › 4 cuill. à soupe d'huile d'olive vierge extra
- › 2 cuill. à soupe de vinaigre de xérès
- › 12 tomates cerises
- › 16 olives vertes dénoyautées
- › 12 câpres
- › Quelques feuilles de menthe
- › Poivre noir moulu

Pour 4 à 6 personnes • Préparation : 10 min • Repos : 30 min • Difficulté : 1

1. Détaillez le pain en dés de 3 cm de côté. Égouttez les anchois. Réunissez ces ingrédients dans un saladier avec l'huile et le vinaigre. Poivrez généreusement, puis mélangez délicatement. Laissez reposer 30 minutes à température ambiante.

2. Coupez les tomates cerises en deux. Ajoutez-les dans le saladier avec les olives, les câpres et la menthe. Remuez, puis servez.

Si cette recette vous plaît, vous aimerez aussi...

Tapenade OLIVES NOIRES & ANCHOIS

Toasts ANCHOIS & TOMATES

Toasts TOMATES & JAMBON SERRANO

PETITS POULPES marinés

Pour 6 à 8 personnes • Préparation : 10 min • Marinade : 1h • Cuisson : 2 ou 3 min • Difficulté : 1

> 4 échalotes
> 12 cl d'huile d'olive vierge extra
> Le zeste finement râpé de 1 citron non traité
> 2 cuill. à soupe de jus de citron
> 2 cuill. à café d'origan haché
> 750 de petits poulpes
> Sel et poivre du moulin

Pour servir
> Salade verte

1. Pelez les échalotes, puis émincez-les. Dans un grand saladier, mélangez-les avec l'huile, le zeste et le jus de citron, puis l'origan. Salez et poivrez.

2. Préparez les poulpes. Incorporez-les délicatement à la préparation, puis laissez mariner 1 heure.

3. Huilez légèrement un gril et mettez-le à chauffer sur feu vif. Faites griller les poulpes 2 ou 3 minutes en les arrosant régulièrement de marinade. Servez chaud ou à température ambiante, avec de la salade verte.

CREVETTES à l'ail

Pour 6 personnes • Préparation : 30 min • Marinade : 20 min • Cuisson : 6 à 8 min • Difficulté : 1

> 1 kg de crevettes crues
> 4 gousses d'ail
> 1 petit piment rouge
> 4 cuill. à soupe d'huile d'olive vierge extra
> Le jus de 2 citrons
> Poivre noir moulu

Pour servir (facultatif)
> Quartiers de citron vert

1. Décortiquez les crevettes et retirez la veine noire. Pelez l'ail, épépinez le piment, puis hachez le tout. Dans un bol, mélangez l'ail et le piment avec l'huile, le jus de citron et du poivre. Rassemblez les crevettes dans un plat creux. Arrosez-les de sauce, puis laissez mariner 20 minutes.

2. Mettez la marinade à chauffer dans une grande poêle sur feu moyen et faites cuire les crevettes 3 ou 4 minutes de chaque côté.

3. Répartissez les crevettes dans des plats de service individuels, puis arrosez-les de jus de cuisson. Garnissez éventuellement de quartiers de citron vert et servez chaud.

ENCORNETS TOMATES & câpres

Pour 6 personnes • Préparation : 15 min • Réfrigération : 1h • Cuisson : 15 min • Difficulté : 2

> 4 tubes d'encornets de 180 g chacun
> 2 tomates
> 2 cuill. à café de câpres
> 1 cuill. à soupe de persil ciselé

Pour le court-bouillon
> 1 carotte
> 1 oignon
> 1 l d'eau

> 50 g de câpres
> Le jus de 1 citron

Pour la marinade
> 18 cl d'huile d'olive vierge extra
> Le jus de 2 citrons
> 4 gousses d'ail
> 1 cuill. à soupe de thym
> Sel et poivre du moulin

1. Préparez le court-bouillon. Pelez la carotte et l'oignon, puis hachez-les. Dans une casserole, mélangez tous les ingrédients. Portez à ébullition et laissez mijoter 10 minutes. Ajoutez les encornets, puis prolongez la cuisson de 5 minutes.

2. Préparez la marinade. Dans un saladier, mélangez tous les ingrédients.

3. Égouttez les encornets et coupez-les en anneaux de 5 mm d'épaisseur. Ajoutez-les dans la marinade et réservez 1 heure au réfrigérateur. Hachez les tomates et mélangez-les avec les câpres, les encornets et le persil dans un saladier. Arrosez de marinade et servez.

SARDINES marinées

Pour 6 à 8 personnes • Préparation : 20 min • Repos : 8h • Cuisson : 25 min • Difficulté : 2

> 2 oignons
> 1 carotte
> 750 g de sardines
> 1 cuill. à soupe de persil ciselé

Pour la marinade
> 12 cl de vinaigre de vin blanc
> 12 cl d'eau

> 1 pincée de cannelle en poudre
> 1 feuille de laurier
> 6 grains de poivre
> 1 cuill. à soupe de feuilles de thym
> 1/2 cuill. à café de sel
> 2 cuill. à soupe d'huile d'olive vierge extra

1. Préchauffez le four à 180 °C (therm. 6). Pelez les oignons et coupez-les en fines rondelles. Pelez la carotte, puis tranchez-la finement dans le sens de la longueur. Coupez les nageoires des sardines et retirez les arêtes (conservez la tête et la queue). Placez les poissons dans un plat creux. Parsemez d'oignon, de carotte et de persil.

2. Préparez la marinade. Dans un petit saladier, mélangez tous les ingrédients.

3. Versez la marinade sur le poisson. Couvrez d'une feuille d'aluminium, puis enfournez pour 25 minutes. Laissez refroidir à température ambiante. Réservez pendant au moins 8 heures avant de servir.

Cette salade simple et délicieuse est originaire de Murcie, région côtière au sud-est de l'Espagne. Servez-la avec beaucoup de pain pour ne rien perdre de la vinaigrette et du jus des légumes.

Salade de MURCIE

> 2 gros poivrons rouges
> 2 cuill. à soupe d'huile d'olive vierge extra
> 4 tomates mûres
> 6 ciboules
> 250 g de thon en conserve
> 2 œufs durs
> 12 grosses olives noires

Pour la vinaigrette
> 12 cl d'huile d'olive vierge extra
> 4 cuill. à soupe de vinaigre de vin rouge
> 1 pincée de sel
> 1 pincée de poivre noir moulu

Pour servir (facultatif)
> Pain

Pour 4 personnes • Préparation : 15 min • Cuisson : 8 à 15 min • Difficulté : 1

1. **Allumez** le gril du four. Huilez les poivrons et posez-les sur une plaque de cuisson. Enfournez, puis laissez-les griller en les retournant régulièrement jusqu'à ce que la peau noircisse. Mettez-les dans un sac en plastique et laissez reposer 15 minutes.

2. **Pendant ce temps,** coupez les tomates en quatre. Préparez les ciboules. Égouttez le thon, puis émiettez-le à l'aide d'une fourchette. Écalez les œufs et coupez-les en deux. Épluchez les poivrons, puis coupez-les en lamelles. Répartissez-les dans quatre assiettes avec les tomates et les ciboules. Ajoutez le thon, les œufs durs, puis les olives.

3. **Préparez la vinaigrette.** Dans un bol, fouettez ensemble tous les ingrédients.

4. **Versez** la vinaigrette sur la salade. Servez éventuellement avec du pain.

Si cette recette vous plaît, vous aimerez aussi...

Salade ANCHOIS, PAIN & CÂPRES

Salade MORUE, ORANGES & OLIVES

Salade de FÈVES

Salade de CALMARS

52

> 1 kg de calmars
> 1 oignon
> 1 gousse d'ail
> 25 cl de vin blanc sec
> 12 cl d'eau

Pour la sauce
> 2 gousses d'ail
> 2 cuill. à soupe d'échalotes hachées
> 12 cl d'huile d'olive vierge extra
> 2 cuill. à café de zeste de citron non traité râpé
> 12 cl de jus de citron
> Sel et poivre du moulin

Pour 8 à 10 personnes • Préparation : 30 min • Repos : 15 min • Cuisson : 1h • Difficulté : 2

1. Nettoyez les calmars. Détaillez leurs corps en rondelles. Séparez les tentacules des têtes et jetez ces dernières. Pelez l'oignon et l'ail, puis hachez le tout. Réunissez-les dans une casserole avec le vin et l'eau. Portez à ébullition, puis ajoutez les morceaux de calmars. Baissez le feu et laissez mijoter 1 heure à couvert.

2. Préparez la sauce. Pilez l'ail. Dans un petit saladier, fouettez ensemble tous les ingrédients.

3. Égouttez les calmars. Laissez-les tiédir, puis mélangez-les avec la sauce. Couvrez et laissez reposer 15 minutes avant de servir.

POULPE GRILLÉ & poivrons

› 2 poivrons rouges
› 1 poulpe de 1 kg
› Feuilles de roquette
› Sel et poivre du moulin

Pour la marinade
› 120 g de tomates séchées à l'huile
› Le jus de 1 citron vert
› Le jus de 1 citron jaune
› 2 cuill. à soupe de thym ciselé
› 12 cl d'huile d'olive vierge extra

Pour servir
› 1 filet d'huile d'olive vierge extra
› Quartiers de citron vert

Pour 8 personnes • Préparation : 20 min • Marinade : 10 à 15 min •
Cuisson : 15 à 20 min • Difficulté : 2

1. **Préchauffez** le four à 225 °C (therm. 7-8). Épépinez
   les poivrons et coupez-les en lamelles. Posez-les
   sur une plaque de cuisson. Enfournez, puis laissez-les
   griller jusqu'à ce que leur peau noircisse. Mettez-les
   dans un sac en plastique et laissez reposer 15 minutes.
   Pendant ce temps, mettez un gril à chauffer sur feu vif.

2. **Préparez** la marinade. Égouttez les tomates séchées,
   puis hachez-les finement. Dans un grand saladier,
   mélangez-les avec le reste des ingrédients.

3. **Préparez** le poulpe. Détaillez-le en petits morceaux,
   puis incorporez-les à la marinade. Laissez mariner
   de 10 à 15 minutes à température ambiante.

4. **Faites griller** le poulpe pendant 5 minutes en l'arrosant
   régulièrement de marinade. Pelez les poivrons, puis
   coupez-les en tranches. Répartissez-les dans des assiettes
   avec la roquette et le poulpe. Arrosez d'un filet d'huile,
   salez et poivrez, puis servez avec des quartiers de citron.

Voici une salade qui va vous séduire tant par son originalité que par ses saveurs raffinées...

Salade de FRUITS DE MER GRILLÉS

> 500 g de calmars entiers
> 500 g de petites crevettes crues
> 250 g de pétoncles décortiqués
> 1 petite trévise
> 50 g de feuilles de roquette

Pour la sauce
> 12 cl d'huile d'olive vierge extra
> 3 cuill. à soupe de jus de citron
> 2 cuill. à soupe de persil ciselé
> Sel et poivre du moulin

Pour 6 à 8 personnes • Préparation : 30 min • Cuisson : 10 à 15 min • Difficulté : 2

1. Préparez la sauce. Dans un bol, fouettez l'huile avec le jus de citron, le persil, du sel et du poivre.

2. Mettez un gril à chauffer à feu vif. Préparez les calmars. Décortiquez les crevettes et retirez la veine noire. Dans un saladier, réunissez les calmars, les crevettes et les pétoncles. Arrosez de 2 cuillerées à soupe de sauce, puis mélangez. Faites griller les crevettes et les calmars 2 minutes de chaque côté, puis les pétoncles 1 minute de chaque côté, en procédant en plusieurs fois.

3. Tranchez les corps des calmars. Dans un grand plat de service, réunissez les fruits de mer. Détaillez la trévise en lamelles. Ajoutez-les dans le saladier avec la roquette et le reste de la sauce. Remuez, puis servez à température ambiante.

Si cette recette vous plaît, vous aimerez aussi...

POULPE GRILLÉ
& poivrons

Brochettes **CREVETTES & CHORIZO**

CALMARS FRITS
& sauce pimentée

CREVETTES ÉPICÉES à l'ail

> 4 gousses d'ail
> 4 cuill. à soupe d'huile d'olive vierge extra
> 1 cuill. à café de piment rouge en poudre
> 500 g de crevettes crues
> 1 cuill. à café de paprika doux
> Le jus de 1 citron
> 6 cuill. à soupe de xérès sec
> Sel et poivre du moulin

Pour servir
> 1 cuill. à soupe de persil ciselé
> Pain (facultatif)

Pour 4 à 6 personnes • Préparation : 15 min • Cuisson : 5 à 10 min • Difficulté : 1

1. Pelez l'ail, puis hachez-le finement. Mettez l'huile à chauffer dans une grande casserole à feu moyen, puis faites sauter l'ail et le piment 3 ou 4 minutes.

2. Augmentez le feu. Ajoutez les crevettes, le paprika, le jus de citron et le xérès. Prolongez la cuisson de 2 ou 3 minutes.

3. Salez, poivrez, puis parsemez de persil. Servez chaud, éventuellement avec du pain.

CREVETTES AIL & xérès

> 4 gousses d'ail
> 500 g de grosses crevettes crues
> 5 cuill. à soupe d'huile d'olive vierge extra
> 3 cuill. à soupe de xérès
> Sel et poivre du moulin

Pour servir
> 2 cuill. à soupe de persil ciselé

Pour 4 à 6 personnes • Préparation : 15 min • Cuisson : 6 à 8 min • Difficulté : 1

1. Pelez l'ail, puis émincez-le. Décortiquez les crevettes et retirez la veine noire. Mettez l'huile à chauffer dans une grande poêle sur feu moyen, puis faites sauter l'ail 1 ou 2 minutes. Ajoutez les crevettes et prolongez la cuisson de 2 ou 3 minutes.

2. Arrosez de xérès et laissez mijoter 1 ou 2 minutes. Salez, poivrez, parsemez de persil, puis servez.

Laisser refroidir les poulpes dans leur eau de cuisson rend leur chair particulièrement tendre et savoureuse.

POULPES à la galicienne

> Plusieurs petits poulpes ou 1 poulpe (environ 500 g)
> 1/2 oignon
> 1 feuille de laurier
> 4 cuill. à soupe de vinaigre de vin blanc
> 4 pommes de terre
> 2 cuill. à soupe de persil ciselé
> 6 cuill. à soupe d'huile d'olive vierge extra
> 1 cuill. à café de paprika doux
> 1/2 cuill. à café de sel

Pour 4 à 6 personnes • Préparation : 15 min • Refroidissement : 4 h • Cuisson : 1 h 10 • Difficulté : 2

1. Préparez les poulpes et pelez le demi-oignon. Dans une grande casserole d'eau, réunissez ces ingrédients avec la feuille de laurier et le vinaigre. Portez à petite ébullition, puis laissez mijoter 1 heure. Arrêtez le feu et laissez refroidir dans l'eau de cuisson pendant au moins 4 heures.

2. Pelez les pommes de terre et coupez-les en dés de 3 cm de côté. Faites-les cuire 10 minutes dans une casserole d'eau bouillante salée, puis égouttez-les.

3. Coupez les poulpes en segments de 2,5 cm. Mettez-les dans un saladier avec les pommes de terre et le persil. Arrosez d'huile, saupoudrez de paprika et de sel, puis mélangez délicatement et servez.

Si cette recette vous plaît, vous aimerez aussi...

PETITS POULPES
marinés

POULPE GRILLÉ
& poivrons

Terrine de **POULPE**
& POMMES DE TERRE

AVOCATS au thon

> 1 poivron rouge
> 2 gousses d'ail
> 3 ciboules
> 350 g de thon au naturel en conserve
> 2 ou 3 cuill. à soupe de mayonnaise
> 2 cuill. à café de vinaigre balsamique
> 2 petits avocats mûrs
> Le jus de 1 citron
> Sel et poivre du moulin

Pour 4 personnes • Préparation 15 min • Difficulté : 1

1. Épépinez le poivron et pelez l'ail, puis hachez le tout. Émincez les ciboules. Égouttez le thon, puis émiettez-le à l'aide d'une fourchette. Dans un saladier, mélangez le poivron avec l'ail, les ciboules, le thon, la mayonnaise et le vinaigre. Salez, poivrez, puis mélangez le tout.

2. Coupez les avocats en deux et retirez le noyau. Arrosez-les de jus de citron. Garnissez les moitiés d'avocat de la préparation avec une cuillère à café, puis servez.

Salade MORUE, ORANGES & OLIVES

> 400 g de morue salée
> 25 cl de lait froid
> 4 grosses oranges à jus
> 4 ciboules
> 100 g d'olives noires dénoyautées
> 4 cuill. à soupe d'huile d'olive vierge extra
> 1 cuill. à soupe de vinaigre de vin blanc
> 18 cl d'eau
> 1 cuill. à café de paprika doux
> Sel

Pour servir
> 3 œufs durs

Pour 8 personnes • Préparation : 20 min • Trempage : 25 h • Réfrigération : 1h • Cuisson : 20 min • Difficulté : 2

1. La veille, mettez la morue à tremper dans un saladier d'eau froide pendant 24 heures, en changeant deux ou trois fois l'eau, puis égouttez-la.

2. Le jour même, préchauffez le four à 180 °C (therm. 6). Transférez la morue dans un plat à rôtir, puis enfournez pour 20 minutes. Arrosez de lait et laissez tremper pendant au moins 1 heure. Égouttez le poisson, puis émiettez-le en retirant la peau et les arêtes.

3. Pelez les oranges à vif et hachez-les avec les ciboules. Dans un plat de service, mélangez ces ingrédients avec le poisson et les olives. Arrosez d'huile, de vinaigre et d'eau. Saupoudrez de paprika, puis mélangez délicatement. Couvrez le saladier et réservez au moins 1 heure au réfrigérateur. Écalez les œufs, puis coupez-les en quartiers. Disposez-les sur la salade et servez.

Si vous souhaitez préparer cette recette avec du thon frais, faites cuire 350 g de thon avec un peu d'huile dans une poêle à feu moyen, puis émiettez-le à l'aide d'une fourchette avant de l'incorporer à la farce.

TOMATES FARCIES au thon

> 50 cl de bouillon de poisson
> 200 g de riz rond
> 1 cuill. à café de paprika doux
> 1 oignon
> 2 gousses d'ail
> 3 cuill. à soupe d'huile d'olive vierge extra
> 6 grosses tomates
> 3 cuill. à soupe de persil ciselé
> 1 cuill. à soupe de vin blanc sec
> 350 g de thon en conserve
> 6 cuill. à soupe de manchego râpé (fromage de brebis espagnol)
> Sel et poivre du moulin

Pour 6 personnes • Préparation : 20 min • Cuisson : 50 min • Difficulté : 2

1. Portez le bouillon de poisson à ébullition dans une casserole. Ajoutez le riz et le paprika, puis laissez mijoter 15 minutes.

2. Préchauffez le four à 190 °C (therm. 6-7). Pelez l'oignon et l'ail, puis hachez-les. Mettez l'huile à chauffer dans une poêle à feu moyen. Faites sauter l'oignon et l'ail 3 ou 4 minutes.

3. Coupez le dessus des tomates et réservez les chapeaux. Prélevez la chair des tomates à l'aide d'une cuillère à café au-dessus d'une planche à découper, puis réservez les parties évidées. Hachez finement la chair des tomates et ajoutez-la dans la poêle avec le persil. Arrosez de vin et laissez mijoter 5 minutes.

4. Égouttez le thon. Incorporez-le dans la poêle avec le riz, puis prolongez la cuisson de 2 ou 3 minutes. Salez, poivrez, puis mélangez bien le tout. Remplissez les tomates avec le contenu de la poêle, puis parsemez de fromage. Remettez les chapeaux en place et enfournez pour 20 minutes. Servez chaud.

Si cette recette vous plaît, vous aimerez aussi...

TOMATES
mimosa

TOMATES AU FOUR
à l'andalouse

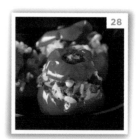

POIVRONS
farcis

SARDINES MARINÉES au piment

> 100 g de farine
> 24 grosses sardines
>   (type pilchard)
> 12 cl d'huile d'olive vierge extra
> 6 gousses d'ail
> 1 cuill. à café de piment rouge
>   en poudre
> 1 cuill. à soupe de vinaigre
>   de vin blanc
> 1 feuille de laurier
> 1 brin de romarin
> 25 cl d'eau
> Sel et poivre du moulin

Pour 6 à 8 personnes • Préparation : 15 min • Marinade : 1h •
Cuisson : 20 min • Difficulté : 1

1. Farinez les sardines, puis secouez-les pour en éliminer
   l'excès. Mettez l'huile à chauffer dans une grande poêle
   à feu moyen. Faites frire les sardines 5 minutes
   de chaque côté. Égouttez-les sur du papier absorbant,
   puis disposez-les dans un plat en céramique.

2. Pilez l'ail. Mettez-le dans la poêle avec le piment, puis faites
   sauter le tout 4 minutes. Ajoutez le vinaigre, le laurier
   et le romarin. Laissez mijoter jusqu'à ce que le vinaigre
   soit évaporé. Salez, poivrez, versez l'eau dans la poêle,
   puis prolongez la cuisson de 5 minutes. Nappez
   les sardines de sauce. Laissez mariner au moins 1 heure,
   puis servez.

PALOURDES épicées

- 600 g de palourdes
- 2 gousses d'ail
- 1 petit oignon
- 1 tige de céleri branche
- 2 cuill. à soupe d'huile d'olive vierge extra
- 2 cuill. à café de gingembre râpé
- 1 cuill. à café de piment rouge en poudre
- 1 cuill. à café de curcuma en poudre
- 2 cuill. à soupe de persil ciselé
- 4 cuill. à soupe de vin blanc sec
- Sel et poivre du moulin

Pour servir
- Persil ciselé

Pour 4 à 6 personnes • Préparation : 20 min • Trempage : 1h •
Cuisson : 10 min • Difficulté : 1

1. Rincez les palourdes. Jetez celles qui ne se referment pas quand on les tape d'un coup sec. Mettez les autres à tremper 1 heure dans un grand saladier d'eau froide.

2. Pelez l'ail et l'oignon, puis hachez-les. Tranchez le céleri. Mettez l'huile à chauffer dans une grande poêle à feu moyen, puis faites sauter l'ail, l'oignon, le céleri, le gingembre, le piment, le curcuma et le persil pendant 5 minutes.

3. Transférez les palourdes dans la poêle. Arrosez de vin et laissez mijoter 5 minutes à couvert en secouant la poêle régulièrement. Jetez les palourdes qui sont restées fermées. Salez, poivrez, garnissez de persil et servez.

Cette recette originale vaut la peine d'être testée.
La saveur de la vanille se marie à merveille avec le moelleux
des noix de saint-jacques.

SAINT-JACQUES À LA VANILLE & salsa de tomates

› 1 gousse de vanille
› 120 g de beurre ramolli
› 4 cuill. à soupe d'huile d'olive
  vierge extra
› 12 grosses noix de saint-jacques
  sans corail
› Sel et poivre du moulin

Pour la salsa de tomates
› 12 tomates
› 6 cuill. à soupe d'huile d'olive
  vierge extra
› 1/2 bulbe de fenouil
› 2 tiges de céleri branche
› 1 gousse d'ail
› Le jus de 1/2 citron vert
› 2 cuill. à soupe de persil ciselé

Pour 4 personnes • Préparation : 20 min • Cuisson : 20 à 25 min •
Difficulté : 2

1. Préparez la salsa de tomates. Préchauffez le four à 200 °C
   (therm. 6-7). Coupez les tomates en deux et posez-les
   sur une plaque de cuisson, côté coupé dessus. Arrosez
   de 2 cuillerées à soupe d'huile. Salez, puis enfournez
   et laissez cuire de 15 à 20 minutes. Coupez les tomates
   rôties en morceaux. Plongez le fenouil dans une casserole
   d'eau bouillante et laissez-le blanchir. Hachez le céleri
   et pilez l'ail. Dans le bol d'un robot, réunissez ces ingrédients
   avec les tomates, le jus de citron vert, le reste de l'huile
   et le persil, puis mixez.

2. Égrenez la gousse de vanille. Dans un bol, mélangez
   la vanille avec le beurre. Mettez l'huile à chauffer dans
   une grande poêle à feu moyen. Faites revenir les noix
   de saint-jacques 30 secondes. Salez, poivrez, puis
   retournez-les. Ajoutez le beurre à la vanille et prolongez
   la cuisson de 1 minute. Ôtez du feu, puis réservez au chaud.

3. Répartissez la salsa dans quatre assiettes. Ajoutez les noix
   de saint-jacques, puis servez.

Si cette recette vous plaît, vous aimerez aussi…

NOIX DE SAINT-JACQUES
& poivrons

Salade **de FRUITS
DE MER GRILLÉS**

PÉTONCLES
au four

PALOURDES au chorizo

> 1 kg de palourdes
> 500 g de chorizo
> 1 gros oignon
> 400 g de tomates concassées en conserve
> 50 cl de vin blanc
> 4 cuill. à soupe d'huile d'olive vierge extra

Pour 6 à 8 personnes • Préparation : 20 min • Trempage : 1h • Cuisson : 5 à 10 min • Difficulté : 2

1. **Rincez** les palourdes. Jetez celles qui ne se referment pas quand on les tape d'un coup sec et mettez les autres à tremper dans un saladier d'eau froide pendant 1 heure.

2. **Hachez** grossièrement le chorizo. Pelez l'oignon, puis détaillez-le en petits quartiers. Dans une sauteuse, réunissez les palourdes, le chorizo, l'oignon, les tomates et le vin. Faites cuire à feu vif de 5 à 10 minutes à couvert en secouant la sauteuse régulièrement. Jetez les palourdes qui sont restées fermées.

3. **Arrosez** d'huile d'olive et répartissez les palourdes dans des bols. Passez le liquide de cuisson dans un chinois, puis versez-le sur les palourdes. Servez chaud.

PALOURDES aux haricots blancs

> 1 kg de palourdes
> 2 cuill. à soupe d'huile d'olive vierge extra
> 1 gousse d'ail
> 1 oignon
> 1 tomate mûre
> 1 feuille de laurier
> 25 cl de vin blanc
> 12 cl d'eau
> 400 g de haricots cannellini en conserve
> 2 cuill. à soupe de persil ciselé
> Sel et poivre du moulin

Pour 6 à 8 personnes • Préparation : 20 min • Trempage : 1h •
Cuisson : 15 à 20 min • Difficulté : 2

1. Rincez les palourdes. Jetez celles qui ne se referment pas quand on les tape d'un coup sec, puis mettez les autres à tremper dans un saladier d'eau froide pendant 1 heure.

2. Mettez l'huile à chauffer dans une grande poêle à feu moyen. Pelez l'ail et l'oignon, puis écrasez le tout. Faites sauter l'ail et l'oignon 4 minutes dans la poêle. Hachez la tomate, puis ajoutez-la dans la poêle avec le laurier et prolongez la cuisson de 3 minutes. Versez le vin et l'eau sur la préparation. Ajoutez les palourdes, puis laissez mijoter de 5 à 10 minutes à couvert en secouant la poêle régulièrement. Jetez les palourdes qui sont restées fermées.

3. Égouttez les haricots, puis incorporez-les à la préparation. Salez, poivrez et mélangez délicatement. Laissez cuire 3 minutes à découvert. Parsemez de persil, puis servez.

Cette recette succulente est un peu longue à préparer, mais le résultat en vaut largement la peine.

Terrine de POULPE & POMMES DE TERRE

> 2 kg de tentacules de poulpes surgelés décongelés
> 1 cuill. à café de paprika doux
> 25 g de persil ciselé

Pour la salade de pommes de terre
> 1 kg de pommes de terre
> 1 oignon rouge
> 1 cuill. à soupe de paprika doux
> 12 cl d'huile d'olive vierge extra
> Sel

Pour 12 personnes • Préparation : 1h • Refroidissement : 4h • Réfrigération : 12h • Cuisson : 50 min à 1h10 • Difficulté : 3

1. La veille, faites cuire les tentacules de poulpe dans une grande casserole d'eau de 30 à 40 minutes, puis laissez-les refroidir dans l'eau pendant au moins 4 heures. Tapissez un moule à terrine de 30 cm de long de film alimentaire. Coupez les tentacules à la longueur du moule. Dans un saladier, mélangez-les avec le paprika et la moitié du persil. Disposez les tentacules dans le moule. Couvrez de film alimentaire, puis réservez une nuit au réfrigérateur.

2. Le jour même, préparez la salade de pommes de terre. Pelez les pommes de terre. Faites-les cuire de 20 à 30 minutes dans une casserole d'eau bouillante salée, puis égouttez-les et laissez-les refroidir. Dans un grand saladier, écrasez-les grossièrement avec une fourchette. Pelez l'oignon, puis coupez-le en petits dés. Ajoutez-les dans le saladier avec le paprika et l'huile. Salez, puis mélangez.

3. Tranchez la terrine de poulpe et servez avec la salade de pommes de terre.

Si cette recette vous plaît, vous aimerez aussi...

48

PETITS POULPES
marinés

53

POULPE GRILLÉ
& poivrons

58

POULPES
à la galicienne

Brochettes **CREVETTES & CHORIZO**

- 2 échalotes
- 500 g de chorizo
- 2 cuill. à soupe d'huile d'olive vierge extra
- 50 cl de vin rouge
- 2 feuilles de laurier
- 4 brins de thym
- 16 grosses crevettes
- 2 cuill. à café d'huile de piment
- 2 cuill. à soupe de persil ciselé

Pour 4 personnes • Préparation : 20 min • Cuisson : 10 à 15 min • Difficulté : 1

1. Pelez les échalotes et hachez-les. Coupez le chorizo en tranches. Mettez l'huile à chauffer dans une casserole à feu moyen. Laissez revenir les échalotes 4 minutes dans l'huile, puis réservez-les. Dans la même casserole, faites sauter le chorizo 3 minutes. Ajoutez le vin, le laurier et le thym, puis portez à frémissement. Remettez les échalotes dans la casserole et prolongez la cuisson jusqu'à ce que le vin ait réduit des trois quarts. Ôtez du feu.

2. Décortiquez les crevettes en conservant l'éventail de l'extrémité et retirez la veine noire. Mettez l'huile de piment à chauffer dans une sauteuse à feu moyen. Faites frire les crevettes 3 minutes de chaque côté, puis parsemez de persil.

3. Enfilez les ingrédients sur des brochettes en alternant un morceau de chorizo et 1 crevette. Arrosez de sauce, puis servez.

PALOURDES au vin blanc

> 1 kg de palourdes

Pour la sauce au vin blanc
> 25 cl de vin blanc sec
> 2 gousses d'ail
> 2 piments rouges
> 45 g de beurre
> 1 cuill. à soupe de ciboulette ciselée
> 1 cuill. à soupe de persil ciselé
> 1 cuill. à soupe de fécule de maïs
> 1 cuill. à soupe d'eau froide

Pour servir
> Pain

Pour 6 à 8 personnes • Préparation : 20 min • Trempage : 1h • Cuisson : 20 min • Difficulté : 1

1. Rincez les palourdes. Jetez celles qui ne se referment pas quand on les tape d'un coup sec et mettez les autres à tremper 1 heure dans un grand saladier d'eau froide.

2. Préparez la sauce au vin blanc. Mettez une poêle à chauffer sur feu vif. Portez le vin à ébullition, puis faites cuire les palourdes de 5 à 10 minutes à couvert en les secouant régulièrement. Jetez celles qui sont restées fermées et transférez les autres dans un saladier. Passez le liquide de cuisson dans un chinois au-dessus d'un bol et réservez-le.

3. Pilez l'ail. Épépinez les piments, puis émincez-les. Rincez la poêle et laissez revenir l'ail et les piments 3 minutes dans le beurre à feu moyen. Ajoutez la ciboulette et le persil, puis prolongez la cuisson de quelques secondes. Versez le jus de cuisson des palourdes dans la poêle et portez à frémissement. Dans un bol, diluez la fécule de maïs avec l'eau. Incorporez le liquide à la préparation, puis remuez jusqu'à l'obtention d'une sauce épaisse. Remettez les palourdes dans la poêle. Remuez, puis servez avec du pain.

MOULES à la sauce tomate

Pour 4 à 6 personnes • Préparation : 30 min •
Trempage : 1h • Cuisson : 25 min • Difficulté : 2

› 1,2 kg de moules
› 1 oignon
› 4 gousses d'ail
› 3 cuill. à soupe d'huile d'olive vierge extra
› 6 cuill. à soupe de vin blanc sec

› 400 g de tomates en conserve
› 60 g de concentré de tomate
› 6 cuill. à soupe d'eau
› 2 cuill. à soupe d'origan ciselé
› Sel et poivre du moulin

1. Rincez les moules. Jetez celles qui ne se referment pas quand on les tape d'un coup sec, puis mettez les autres à tremper 1 heure dans un grand saladier d'eau froide.

2. Pelez l'oignon et hachez-le. Pilez l'ail. Mettez l'huile à chauffer dans une grande casserole à feu moyen. Faites sauter l'ail et l'oignon 4 minutes dans l'huile. Arrosez de vin blanc, puis laissez mijoter 2 minutes. Ajoutez les tomates, le concentré de tomate, l'eau et l'origan. Prolongez la cuisson de 10 minutes, puis salez et poivrez.

3. Transférez les moules dans la casserole et laissez mijoter 5 minutes à couvert. Jetez les moules qui sont restées fermées, puis servez.

PÉTONCLES au four

Pour 4 à 6 personnes • Préparation : 15 min •
Cuisson : 10 min • Difficulté : 1

› 4 cuill. à soupe d'huile d'olive vierge extra
› 500 g de pétoncles décortiqués
› 4 tranches de prosciutto (charcuterie italienne)

› 75 g de chapelure
› 1 cuill. à soupe de persil ciselé
› 1 cuill. à café de jus de citron
› Sel et poivre du moulin

1. Préchauffez le four à 230 °C (therm. 7-8).

2. Mettez 1 cuillerée à soupe d'huile à chauffer dans une grande poêle à feu vif, puis faites revenir les pétoncles 1 minute.

3. Coupez le prosciutto en carrés de la taille d'un pétoncle. Répartissez les fruits de mer dans des coquilles de noix de saint-jacques ou dans des ramequins. Salez, poivrez, puis posez 1 morceau de prosciutto sur chaque pétoncle. Dans un petit saladier, mélangez la chapelure avec le persil, le jus de citron et le reste de l'huile. Versez la préparation sur les pétoncles. Placez les coquilles sur une plaque de cuisson, puis enfournez pour 5 minutes. Servez chaud.

Galettes d'ÉPERLANS

Pour 4 à 6 personnes • Préparation : 10 min •
Cuisson : 10 min • Difficulté : 1

› 2 échalotes
› 2 gros œufs
› 500 g d'éperlans ou de blanchaille
› 2 cuill. à café d'aneth ciselé
› Le zeste finement râpé de 2 citrons non traités
› 2 cuill. à café de jus de citron

› 75 g de farine
› 1 l d'huile d'olive (pour la friture)
› Sel et poivre du moulin

Pour servir (facultatif)
› Quartiers de citron

1. Pelez les échalotes, puis émincez-les. Dans un saladier, battez légèrement les œufs. Ajoutez les échalotes, les poissons, l'aneth, le zeste de citron, le jus de citron et la farine, puis mélangez le tout. Salez et poivrez la préparation.

2. Mettez l'huile à chauffer dans une friteuse ou une sauteuse jusqu'à ce qu'elle soit très chaude. Pour chaque galette, faites frire 2 ou 3 minutes 1 cuillerée à soupe de préparation. Servez chaud, éventuellement avec des quartiers de citron.

ENCORNETS frits

Pour 6 à 8 personnes • Préparation : 20 min •
Cuisson : 25 min • Difficulté : 2

› 750 g de tubes d'encornet
› 100 g de semoule fine
› 1 cuill. à café de sel
› 1 cuill. à café de poivre noir moulu

› 25 cl d'huile d'olive vierge extra (pour la friture)

Pour servir
› 2 citrons

1. Ouvrez les tubes d'encornet dans le sens de la longueur à l'aide d'un couteau. Rayez l'intérieur en formant des losanges, puis coupez les encornets en rectangles de 2 x 5 cm.

2. Mélangez la semoule avec le sel et le poivre dans un petit saladier. Plongez les morceaux d'encornet dans la préparation à base de semoule de façon à ce qu'ils en soient recouverts.

3. Mettez l'huile à chauffer dans une grande poêle ou un wok à feu vif. Faites frire les morceaux d'encornet 3 ou 4 minutes en procédant en plusieurs fois, puis égouttez-les sur du papier absorbant. Servez chaud avec du citron.

CRABE, TOMATES & fines herbes

> 6 échalotes
> 2 gousses d'ail
> 2 grosses tomates à chair ferme (type cœur-de-bœuf)
> 1 long piment rouge
> 6 cuill. à soupe d'huile d'olive vierge extra
> 4 cuill. à soupe de xérès sec
> 50 g de chapelure
> 1 cuill. à soupe de persil ciselé
> 1 cuill. à soupe de cerfeuil ciselé
> 1 cuill. à soupe d'estragon ciselé
> 500 g de chair de crabe
> 45 g de beurre

Pour 6 personnes • Préparation : 20 min • Cuisson : 30 à 35 min • Difficulté : 1

1. Pelez les échalotes, l'ail et les tomates, puis hachez-les avec le piment. Mettez l'huile à chauffer dans une casserole à feu moyen. Faites revenir les échalotes, l'ail et le piment 3 ou 4 minutes. Ajoutez les tomates, puis arrosez de xérès et laissez mijoter de 10 à 15 minutes. Salez, poivrez et réservez la préparation.

2. Préchauffez le four à 200 °C (therm. 6-7). Dans un saladier, mélangez la chapelure avec le persil, le cerfeuil et l'estragon. Incorporez la chair de crabe au contenu de la casserole, puis répartissez l'ensemble dans six ramequins. Couvrez d'une couche de chapelure aux fines herbes. Parsemez de noix de beurre, puis enfournez pour 15 minutes. Servez chaud.

Empanadas **au THON**

> 1 oignon rouge
> 1 gros œuf dur
> 200 g de thon en conserve
> 1 tomate mûre
> 6 olives vertes dénoyautées
> 1 cuill. à soupe de persil ciselé
> 1 cuill. à soupe d'huile d'olive vierge extra
> 1/2 cuill. à café de paprika fort
> 1 œuf
> 1 boule de pâte à empanadas (voir la recette p. 26)
> 1 l d'huile d'olive (pour la friture)
> Sel et poivre du moulin

Pour 6 personnes • Préparation : 20 min • Cuisson : 15 à 20 min • Difficulté : 1

1. Pelez l'oignon et hachez-le. Écalez l'œuf dur, puis émincez-le. Égouttez le thon. Pelez la tomate, épépinez-la, puis hachez-la avec les olives. Mélangez ces ingrédients dans un saladier avec le persil, l'huile d'olive vierge extra, le paprika, du sel et du poivre.

2. Fouettez l'œuf dans un bol. Farinez le plan de travail. Étalez la pâte à empanadas sur 5 mm, puis coupez 6 cercles de 10 cm de diamètre. Déposez 1 ou 2 cuillerées à soupe de garniture sur la moitié de chaque cercle de pâte. Badigeonnez les bords d'œuf battu, puis rabattez la pâte sur la garniture et soudez les bords en appuyant dessus.

3. Mettez l'huile à chauffer dans une sauteuse sur feu moyen. Faites frire les empanadas de 6 à 8 minutes en procédant en deux fois, égouttez-les sur du papier absorbant et servez.

Ces délicieux beignets sont meilleurs lorsqu'ils viennent d'être cuits. Préparez la pâte et les crevettes à l'avance et faites-les cuire à la dernière minute.

Beignets **de CREVETTES GRISES**

> 500 g de crevettes grises crues
> 3 ciboules
> 300 g de farine de pois chiches
> 1 cuill. à soupe de persil ciselé
> 1/2 cuill. à café de paprika doux
> 1/2 cuill. à café de sel
> 25 cl d'huile d'olive (pour la friture)

Pour servir
> Sel (facultatif)
> Quelques rondelles de citron
> Quelques feuilles de persil

Pour 4 à 8 personnes • Préparation : 20 min • Réfrigération : 1h • Cuisson : 10 à 15 min • Difficulté : 1

1. Décortiquez les crevettes et mettez-les dans une casserole. Couvrez d'eau, puis portez à ébullition et laissez mijoter 3 minutes. Égouttez en réservant 30 cl d'eau de cuisson. Séchez les crevettes à l'aide d'un torchon et réservez au réfrigérateur.

2. Retirez les trois quarts des feuilles vertes des ciboules, puis hachez le reste avec la tige blanche. Dans un saladier, mélangez-les avec la farine, le persil, le paprika et le sel. Incorporez l'eau réservée en filet jusqu'à ce que la préparation ait la texture d'une pâte à crêpes, puis couvrez. Réservez 1 heure au réfrigérateur.

3. Hachez les crevettes, puis incorporez-les à la pâte. Mettez l'huile à chauffer dans une grande poêle, puis déposez quelques cuillerées à soupe de préparation dans l'huile et laissez frire 2 minutes de chaque côté. Retirez les beignets avec une écumoire. Égouttez-les sur du papier absorbant et salez légèrement, si vous le souhaitez. Servez avec du citron et du persil.

Si cette recette vous plaît, vous aimerez aussi...

Galettes
D'ÉPERLANS

Empanadas
au THON

Galettes **POMMES DE TERRE, MORUE & AÏOLI**

CALMARS FRITS & sauce pimentée

› 1 l d'huile d'olive (pour la friture)
› 150 g de farine
› 500 g de calmars préparés
› Sel

Pour servir
› 1 citron (facultatif)
› 1 sauce pimentée
  (voir la recette p. 34)

(voir la recette p. 34)

Pour 4 à 6 personnes • Préparation : 20 min • Cuisson : 10 à 15 min • Difficulté : 2

1. Faites chauffer l'huile à 190 °C dans une friteuse (un morceau de pain jeté dans l'huile doit remonter immédiatement à la surface).

2. Mettez la farine dans un saladier. Coupez les calmars en anneaux et rayez leur peau en losanges avec un couteau. Roulez un tiers des morceaux de calmars dans la farine, puis secouez-les et faites-les frire de 3 à 5 minutes. Retirez les morceaux de calmar frits à l'aide d'une écumoire, puis égouttez-les sur du papier absorbant. Répétez l'opération avec le reste des calmars.

3. Salez, puis arrosez éventuellement d'un filet de jus de citron. Nappez de sauce au piment rouge et servez.

ANCHOIS frits

> 350 g d'anchois
> 50 cl de lait
> 75 g de farine
> 25 cl d'huile d'olive
> (pour la friture)
> Sel

Pour 4 personnes • Préparation : 15 min • Trempage : 30 min • Cuisson : 10 min • Difficulté : 1

1. Dans un saladier, mettez les anchois à tremper 30 minutes dans le lait, puis égouttez-les bien.

2. Mettez la farine dans un grand saladier, plongez les anchois dedans, puis secouez-les pour éliminer l'excès de farine.

3. Faites chauffer l'huile dans une sauteuse jusqu'à ce qu'elle soit très chaude. Faites frire les anchois pendant 5 minutes en procédant en deux fois. Salez et servez.

Cette recette marie avec succès deux ingrédients traditionnels de la cuisine espagnole : la morue salée et l'aïoli (mayonnaise à l'ail). Elle se prépare la veille, car la morue salée doit tremper pendant 24 heures pour se réhydrater. Changez l'eau de trempage à plusieurs reprises pour éliminer son goût de saumure. L'aïoli accompagne généralement viandes, poissons ou pommes de terre, mais est également délicieux avec des légumes et du pain.

Galettes POMMES DE TERRE, MORUE & AÏOLI

> 500 g de morue salée
> 2 gros œufs
> 600 g de pommes de terre à chair farineuse
> 6 ciboules
> 30 cl de lait
> 2 cuill. à soupe d'huile d'olive vierge extra
> 2 cuill. à soupe de persil ciselé
> Le jus de 1/2 citron
> Quelques cuill. à soupe de farine
> 150 g de chapelure
> 50 cl d'huile d'olive (pour la friture)
> Poivre noir moulu

Pour l'aïoli
> 2 grosses gousses d'ail
> 1 pincée de sel
> Le jaune de 2 gros œufs
> 30 cl d'huile d'olive vierge extra
> Le jus de 1/2 citron

Pour servir
> Quartiers de citron
> Salade verte (facultatif)

Pour 6 à 8 personnes • Préparation : 1h • Trempage : 24 h • Pochage : 15 min • Réfrigération : 1h • Cuisson : 35 à 45 min • Difficulté : 3

1. La veille, mettez la morue à tremper dans de l'eau froide.

2. Le jour même, égouttez la morue. Dans un bol, battez les œufs. Pelez les pommes de terre et faites-les cuire de 15 à 20 minutes dans de l'eau bouillante. Égouttez-les, puis écrasez-les grossièrement. Hachez finement les ciboules et mettez-les à chauffer dans une casserole avec le lait. Pochez la morue 15 minutes dans le lait, puis émiettez-la dans un plat en jetant les arêtes et la peau. Incorporez 250 g de purée. Ajoutez l'huile en filet, puis intégrez le reste de la purée, les ciboules, le persil et le jus de citron. Poivrez et incorporez la moitié des œufs battus à la préparation. Réservez 1 heure au réfrigérateur.

3. Préparez l'aïoli. Pelez l'ail et hachez-le. Dans un mortier, pilez l'ail avec le sel, puis incorporez les jaunes d'œufs. À l'aide d'un fouet, incorporez l'huile en filet et 1 cuillerée à soupe de jus de citron. Versez le reste de l'huile et remuez jusqu'à l'obtention d'une sauce épaisse.

4. Mettez l'huile à chauffer dans une casserole à feu moyen. Façonnez 16 galettes. Plongez-les dans la farine, puis dans le reste des œufs battus et dans la chapelure. Faites frire les galettes 5 minutes de chaque côté dans la casserole. Égouttez-les sur du papier absorbant. Servez chaud avec l'aïoli, des quartiers de citron et, si vous le souhaitez, de la salade verte.

Tapas à la viande

Croquettes au JAMBON SERRANO

- 40 cl de lait
- 2 cuill. à soupe d'huile d'olive vierge extra
- 60 g de beurre
- 50 g de farine
- 100 g de jambon serrano ou prosciutto (charcuterie italienne)
- 2 gros œufs
- 150 g de chapelure
- 1 l d'huile d'olive (pour la friture)
- Sel et poivre du moulin

Pour 6 à 8 personnes • Préparation : 20 min •
Réfrigération : 4 h 30 à 12 h • Cuisson : 25 à 30 min • Difficulté : 2

1. Faites chauffer le lait, puis réservez-le. Mettez l'huile et le beurre à chauffer dans une casserole à feu moyen. Ajoutez la farine, puis remuez pendant 1 minute. Arrêtez le feu. Incorporez le lait à la préparation et faites cuire le tout 5 minutes en remuant constamment. Hachez le jambon, puis intégrez-le au contenu de la casserole. Salez, poivrez et prolongez la cuisson de 1 minute. Transférez la préparation dans un saladier. Laissez refroidir, puis réservez au moins 4 heures au réfrigérateur.

2. Fouettez les œufs dans un petit saladier. Mettez la chapelure dans une assiette creuse. Façonnez des croquettes avec la préparation à base de jambon. Roulez-les dans la chapelure, secouez-les, puis plongez-les dans l'œuf et roulez-les de nouveau dans la chapelure. Disposez-les dans un plat et réservez 30 minutes au réfrigérateur.

3. Mettez l'huile à chauffer dans une friteuse et faites frire les croquettes 4 minutes. Retirez-les avec une écumoire, puis égouttez-les sur du papier absorbant. Servez chaud.

Si cette recette vous plaît, vous aimerez aussi...

Beignets
& SALSA DE TOMATES

Boulettes FROMAGE,
JAMBON & SÉSAME

Croquettes POMMES
DE TERRE & JAMBON

Cette recette estivale nécessite des tomates mûres et goûteuses. Choisissez celles qui ont une couleur uniforme, une consistance plutôt dense et un délicieux parfum au niveau du pédoncule.

Toasts TOMATES & JAMBON SERRANO

- › 12 petites tomates en grappe mûres et fermes
- › 24 tomates cerises
- › 2 cuill. à soupe d'huile d'olive vierge extra
- › 12 tranches épaisses de pain
- › 3 ou 4 gousses d'ail
- › 6 grandes tranches de jambon serrano
- › 50 g d'olives vertes dénoyautées
- › Sel

Pour la vinaigrette
- › 4 cuill. à soupe d'huile d'olive vierge extra
- › 1 cuill. à soupe de vinaigre de xérès
- › Sel et poivre du moulin

Pour servir
- › 2 cuill. à soupe de feuilles de persil

Pour 6 à 12 personnes • Préparation : 20 min • Cuisson : 20 à 25 min • Difficulté : 1

1. Préchauffez le four à 200 °C (therm. 6-7). Coupez les tomates en grappe en deux. Disposez-les, côté coupé dessus, sur une grande plaque de cuisson, avec les tomates cerises. Arrosez d'huile et salez légèrement. Enfournez, puis laissez cuire de 15 à 20 minutes.

2. Posez les tranches de pain sur une autre plaque de cuisson. Enfournez et laissez griller 4 ou 5 minutes. Pelez l'ail, puis frottez-en les toasts.

3. Préparez la vinaigrette. Dans un bol, fouettez l'huile avec le vinaigre, du sel et du poivre.

4. Coupez les tranches de jambon et les olives en deux. Répartissez les tomates grillées sur les toasts, puis ajoutez le jambon, les olives et le persil. Arrosez de vinaigrette et servez aussitôt.

Si cette recette vous plaît, vous aimerez aussi...

Toasts ANCHOIS & TOMATES

Toasts AVOCATS & JAMBON

Bocadillos JAMBON & FROMAGE

Toasts AVOCATS & JAMBON

> 1 baguette
> 2 avocats
> Le jus de 1 citron
> 4 grandes tranches de jambon blanc
> 12 cl d'aïoli (voir la recette p. 82)

Pour 6 à 8 personnes • Préparation : 15 min • Cuisson : 4 ou 5 min • Difficulté : 1

1. Préchauffez le four à 200 °C (therm. 6-7). Détaillez la baguette en rondelles et disposez-les sur une plaque de cuisson. Enfournez, puis laissez griller 4 ou 5 minutes.

2. Coupez les avocats en deux. Ôtez la peau et le noyau, puis tranchez la chair et arrosez-la de jus de citron. Détaillez le jambon en larges lamelles. Tartinez chaque toast d'aïoli, puis ajoutez un morceau d'avocat et une lamelle de jambon, puis servez.

Bocadillos JAMBON & FROMAGE

> 4 petits pains
> 2 ou 3 gousses d'ail
> 2 tomates mûres
> 2 cuill. à soupe d'huile d'olive vierge extra
> 1 cuill. à soupe de vinaigre de xérès
> 250 g de manchego (fromage de brebis espagnol)
> 8 tranches de jambon serrano
> Sel et poivre du moulin

Pour 8 personnes • Préparation : 15 min • Cuisson : 4 ou 5 min • Difficulté : 1

1. Préchauffez le four à 200 °C (therm. 6-7). Divisez les petits pains en deux, puis disposez-les sur une plaque de cuisson. Enfournez et laissez griller 4 ou 5 minutes.

2. Pendant ce temps, pelez l'ail, puis frottez le pain grillé avec l'ail. Pelez les tomates et hachez-les. Dans un saladier, mélangez les tomates avec l'huile, le vinaigre, du sel et du poivre.

3. Tranchez le fromage. Répartissez la préparation à base de tomate sur les morceaux de pain, ajoutez une tranche de jambon et de fromage, puis servez.

FIGUES & salami

Pour 4 à 6 personnes • Préparation : 10 min • Difficulté : 1

> 150 g de salami
> 350 g de figues vertes
> ou noires

Pour servir (facultatif)
> Feuilles de figuier

1. Tranchez finement le salami, puis retirez la peau.

2. Tapissez éventuellement un plat de service de feuilles de figuier. Ajoutez les tranches de salami, les figues, puis servez.

ASPERGES au jambon

Pour 4 personnes • Préparation : 15 min •
Cuisson : 3 ou 4 min • Difficulté : 1

> 20 asperges vertes
> Le jus de 1 citron
> 6 cuill. à soupe d'huile d'olive vierge extra
> 5 tranches de prosciutto (charcuterie italienne)
> Quelques copeaux de manchego (fromage de brebis espagnol) ou de parmesan
> Sel et poivre du moulin

1. Coupez la base ligneuse des asperges et jetez-la. Plongez les asperges dans une grande casserole d'eau bouillante et laissez-les blanchir 3 ou 4 minutes. Égouttez-les, puis rincez-les à l'eau froide pour arrêter la cuisson. Égouttez de nouveau.

2. Versez le jus de citron dans un bol. Ajoutez l'huile en filet sans cesser de fouetter jusqu'à l'obtention d'une sauce épaisse. Salez et poivrez.

3. Coupez chaque tranche de prosciutto en quatre et enroulez 1 morceau autour de chaque asperge, puis rassemblez-les dans un plat de service. Arrosez de sauce, parsemez de copeaux de fromage, puis servez.

FIGUES au jambon

Pour 6 personnes • Préparation : 10 min •
Cuisson : 20 à 30 min • Difficulté : 1

> 12 feuilles de laurier
> 12 figues mûres
> 12 tranches de jambon serrano

1. Préchauffez le four à 160 °C (therm. 5-6).

2. Enfilez les feuilles de laurier sur 12 piques en bois. Entourez chaque figue d'une tranche de jambon et maintenez-les en place avec une pique en bois. Rassemblez les figues dans un plat à gratin antiadhésif. Enfournez, puis laissez cuire de 20 à 30 minutes. Les figues doivent être roses et baigner dans un jus épais.

3. Transférez les figues dans un plat de service. Arrosez de jus de cuisson et servez aussitôt.

Roulés JAMBON & ASPERGES

Pour 4 à 6 personnes • Préparation : 15 min •
Cuisson : 10 à 12 min • Difficulté : 2

> 2 cuill. à soupe de manchego (fromage de brebis espagnol) ou de parmesan râpé
> 2 cuill. à café de zeste de citron non traité râpé
> 1 cuill. à café de poivre moulu
> 1 cuill. à café de paprika doux
> 6 feuilles de pâte filo
> 4 cuill. à soupe d'huile d'olive vierge extra
> 12 asperges
> 12 tranches de jambon serrano

Pour servir
> Paprika
> Vinaigre balsamique (facultatif)

1. Préchauffez le four à 220 ° (therm. 7-8), puis tapissez une plaque de cuisson de papier sulfurisé. Dans un bol, mélangez le fromage avec le zeste de citron, le poivre et le paprika.

2. Déroulez 1 feuille de pâte filo sur le plan de travail. Pliez-la en deux dans la longueur, puis badigeonnez-la d'huile. Parsemez d'un peu de préparation et coupez la bande en deux dans la longueur. Enroulez une tranche de jambon autour de chaque asperge et enveloppez-les de pâte filo. Posez les roulés sur la plaque de cuisson, puis saupoudrez de paprika.

3. Enfournez et laissez cuire de 10 à 12 minutes. Servez chaud, éventuellement avec du vinaigre balsamique.

Très utilisé dans la cuisine espagnole, le xérès est un vin d'Andalousie fabriqué à partir de raisins blancs, vieilli en fût au minimum pendant 3 ans.

Salade de FOIES DE POULET AU XÉRÈS

- › 100 g de noisettes émondées
- › 500 g de foies de poulet
- › 2 cuill. à soupe d'huile d'olive vierge extra
- › 15 g de beurre
- › 12 cl de xérès sec
- › 2 cuill. à soupe de jus de citron
- › 100 g de roquette
- › 2 cuill. à soupe de vinaigre de xérès
- › Sel et poivre du moulin

Pour la sauce
- › 2 gousses d'ail
- › 25 g de persil
- › 4 cuill. à soupe de noisettes émondées
- › 2 cuill. à café de paprika fumé
- › 4 cuill. à soupe d'huile d'olive vierge extra

Pour 4 à 6 personnes • Préparation : 10 min • Cuisson : 15 min • Difficulté : 2

1. Préparez la sauce. Pelez l'ail. Mettez-le dans le bol d'un robot avec les autres ingrédients, puis mixez grossièrement le tout.

2. Préchauffez le four à 200 °C (therm. 6-7). Étalez les noisettes sur une plaque de cuisson, puis enfournez pour 5 minutes. Écrasez les noisettes grillées en gros morceaux et réservez-les.

3. Détaillez les foies de poulet en morceaux de 3 cm de côté. Mettez l'huile et le beurre à chauffer dans une grande poêle à feu moyen, puis faites revenir les foies 2 ou 3 minutes. Arrosez de xérès et laissez mijoter jusqu'à ce que le vin se soit évaporé. Versez la sauce et le jus de citron dans la poêle, salez, poivrez, puis remuez. Dans un saladier, mélangez la roquette avec le vinaigre. Répartissez la salade dans quatre assiettes, puis couvrez de foies en sauce. Parsemez de morceaux de noisettes et servez.

Si cette recette vous plaît, vous aimerez aussi...

94

Salade
de FÈVES

95

FÈVES
à la catalane

109

FOIE DE VEAU
au xérès

Salade de FÈVES

> 750 g de fèves pelées
> 1 petit oignon
> 2 œufs durs
> 1 grosse tomate
> 5 tranches de jambon serrano
> 4 cuill. à soupe de menthe ciselée
> Sel et poivre du moulin

Pour la vinaigrette
> 12 cl d'huile d'olive vierge extra
> 4 cuill. à soupe de vinaigre de xérès
> 1 cuill. à café de moutarde à l'estragon

Pour servir
> Pain

Pour 6 à 8 personnes • Préparation : 15 min • Cuisson : 5 à 10 min • Difficulté : 1

1. Faites cuire les fèves de 5 à 10 minutes dans une grande casserole d'eau bouillante salée, puis égouttez-les.

2. Préparez la vinaigrette. Dans un bol, fouettez l'huile avec le vinaigre, la moutarde, du sel et du poivre.

3. Pelez l'oignon, puis hachez-le. Écalez les œufs. Coupez la tomate en dés, les œufs en quatre et le jambon en lamelles. Dans un grand saladier, mélangez les fèves avec l'oignon, la tomate et la menthe. Arrosez de vinaigrette, puis remuez délicatement. Parsemez de jambon, ajoutez les œufs et servez avec du pain.

FÈVES à la catalane

- 100 g boudin noir
- 1 oignon
- 3 gousses d'ail
- 2 grosses tomates
- 2 cuill. à soupe d'huile d'olive vierge extra
- 100 g de lardons
- 2 cuill. à soupe de menthe ciselée
- 1/2 cuill. à café de piment
- 25 cl de vin blanc sec
- 2 kg de fèves pelées
- 1 cuill. à café de sucre en poudre
- Sel

Pour 8 à 12 personnes • Préparation : 15 min • Cuisson : 20 à 25 min • Difficulté : 1

1. Détaillez le boudin en fines rondelles. Pelez l'oignon et l'ail, puis écrasez-les. Hachez grossièrement les tomates. Mettez l'huile à chauffer dans une grande poêle à feu moyen. Ajoutez les lardons, le boudin, les oignons, l'ail, les tomates, la menthe, le piment et le vin, puis faites revenir le tout pendant 10 minutes.

2. Incorporez les fèves à la préparation. Saupoudrez de sucre, salez, puis laissez mijoter de 10 à 15 minutes à couvert. Servez chaud.

Véritable enchantement de la cuisine sévillane, cette recette copieuse peut servir d'entrée à 6 à 8 personnes ou de plat principal à 4 convives et rend hommage aux vins prestigieux de cette région.

Tortilla au CHORIZO

> 2 oignons
> 250 g de chorizo
> 750 g de pommes de terre à chair ferme
> 5 cuill. à soupe d'huile d'olive vierge extra
> 4 gros œufs
> 2 cuill. à soupe de persil ciselé
> 120 g de manchego râpé (fromage de brebis espagnol)
> Sel et poivre du moulin

Pour servir
> Persil ciselé

Pour 6 à 8 personnes • Préparation : 15 min • Cuisson : 50 à 55 min • Difficulté : 2

1. Pelez les oignons, puis émincez-les. Coupez le chorizo et les pommes de terre en fines tranches. Mettez 1 cuillerée à soupe d'huile à chauffer dans une poêle à feu moyen, puis faites revenir le chorizo 5 minutes. Égouttez-le sur du papier absorbant.

2. Versez 2 cuillerées à soupe d'huile dans la poêle, puis laissez revenir les pommes de terre et les oignons 3 minutes. Baissez le feu et laissez mijoter 30 minutes à couvert en les retournant régulièrement.

3. Battez les œufs avec le persil, le fromage et le chorizo dans un saladier, puis salez et poivrez. Incorporez le contenu de la poêle à la préparation. Essuyez la poêle avec du papier absorbant, puis mettez le reste de l'huile à chauffer. Versez la tortilla dans la poêle et laissez cuire à feu doux jusqu'à ce que les œufs commencent à prendre.

4. Allumez le gril du four à température maximale et enfournez la tortilla quelques minutes. Servez chaud.

Si cette recette vous plaît, vous aimerez aussi…

Tortilla FROMAGE
& ROQUETTE

Sandwichs FROMAGE
& JAMBON

Tortilla JAMBON
& MANCHEGO

Cette recette du nord de l'Espagne associe à merveille le goût sucré des dattes et les saveurs salées du jambon et du fromage.

Roulés DATTES, JAMBON & FROMAGE

› 16 dattes
› 16 petits morceaux de fromage de chèvre à pâte dure
› Quelques tranches de jambon serrano, pancetta ou lard
› 25 cl d'huile d'olive

Pour 6 à 8 personnes • Préparation : 15 min • Cuisson : 10 à 15 min • Difficulté : 2

1. Fendez les dattes dans le sens de la longueur, puis dénoyautez-les et fourrez-les d'un morceau de fromage. Détaillez le jambon en 16 lamelles. Enroulez chaque lamelle autour d'une datte farcie, puis maintenez-la à l'aide d'une pique en bois. Placez les roulés dans un plat et réservez au réfrigérateur.

2. Quinze minutes avant la cuisson, sortez le plat du réfrigérateur. Mettez l'huile à chauffer dans une grande poêle, puis faites frire la moitié des roulés jusqu'à ce que le fromage ait fondu. Égouttez-les sur du papier absorbant. Répétez l'opération avec les roulés restants, puis servez.

Si cette recette vous plaît, vous aimerez aussi...

FIGUES
& salami

ASPERGES
au jambon

FIGUES
au jambon

Brochettes de POULET À L'AIL

- 500 g de cuisses de poulet désossées
- 4 gousses d'ail
- 1 cuill. à café de paprika
- 1 cuill. à soupe de thym ciselé
- Le jus de 1 citron
- 3 cuill. à soupe d'huile d'olive vierge extra
- 1/2 cuill. à café de sel
- 1/2 cuill. à café de poivre noir moulu

Pour 4 à 6 personnes • Préparation : 15 min • Marinade : 1h • Cuisson : 10 à 15 min • Difficulté : 1

1. Coupez le poulet en gros morceaux. Pelez l'ail, puis hachez-le. Dans un saladier, mélangez les morceaux de poulet avec l'ail et le reste des ingrédients. Couvrez de film alimentaire, puis laissez mariner au moins 1 heure au réfrigérateur.

2. Mettez un gril à chauffer à feu moyen. Enfilez les morceaux de poulet sur des piques à brochettes en bois, puis faites-les griller de 10 à 15 minutes en les retournant régulièrement et en les arrosant du reste de la marinade. Servez chaud.

Ailes de POULET AIL & CUMIN

- › 12 ailes de poulet
- › 4 gousses d'ail
- › Le zeste de 1 citron non traité râpé
- › Le jus de 1 citron
- › 1 cuill. à café de graines de cumin
- › 6 cuill. à soupe d'huile d'olive vierge extra
- › 1/2 cuill. à café de sel
- › 1/2 cuill. à café de poivre noir moulu
- › 3 cuill. à soupe de miel

Pour 6 à 8 personnes • Préparation : 15 min • Marinade : 12 h • Cuisson : 45 à 50 min • Difficulté : 1

1. La veille, sectionnez les ailes de poulet à l'articulation avec un couteau. Pelez l'ail, puis écrasez-le. Dans un saladier, mélangez-le avec le zeste et le jus de citron, le cumin, l'huile, le sel et le poivre. Ajoutez les ailes de poulet, puis remuez pour les enduire de la préparation. Couvrez et réservez une nuit au réfrigérateur.

2. Le jour même, préchauffez le four à 200 °C (therm. 6-7). Placez les ailes de poulet sur une plaque de cuisson. Enfournez, puis laissez cuire de 45 à 50 minutes en arrosant le poulet de miel 10 minutes avant la fin du temps de cuisson. Servez chaud.

Cette recette traditionnelle originaire du sud-est de l'Espagne se prépare à l'aide de miettes de pain («migas» en espagnol). Il existe de nombreuses variantes. Celle qui suit vient de la province andalouse d'Almeria.

MIGAS d'Almeria

- › 1 kg de pain rassis
- › 6 cuill. à soupe d'eau
- › 250 g de lard
- › 120 g de salami
- › 6 cuill. à soupe d'huile d'olive vierge extra
- › 2 gousses d'ail
- › 1 cuill. à café de piment
- › Sel

Pour 8 à 10 personnes • Préparation : 15 min • Repos : 12 h • Cuisson : 20 à 25 min • Difficulté : 1

1. La veille, émiettez le pain dans un grand saladier. Arrosez-le d'eau, puis réservez pendant 12 heures.

2. Le jour même, coupez le lard et le salami en petits dés. Mettez l'huile à chauffer dans une grande poêle à feu moyen, puis faites sauter les dés de lard et de salami de 5 à 7 minutes. Transférez-les dans une assiette et réservez-les.

3. Pilez l'ail et laissez-le revenir 4 minutes dans la même poêle. Parsemez le piment, ajoutez les miettes de pain dans la poêle, puis prolongez la cuisson de 3 minutes. Incorporez le lard et le salami à la préparation, laissez cuire 5 minutes, puis servez.

Si cette recette vous plaît, vous aimerez aussi...

Salade ANCHOIS, PAIN & CÂPRES

CRABE, TOMATES & fines herbes

Bocadilos JAMBON & FROMAGE

Travers de PORC ÉPICÉS

› 750 g de travers de porc
› 4 cuill. à soupe de farine
› 1 cuill. à soupe de concentré
  de tomate
› 12 cl de xérès
› 1 cuill. à café de sauce soja
› 1/2 cuill. à café de Tabasco
› 1 cuill. à soupe de sucre roux
› Gros sel

Pour 6 à 8 personnes • Préparation : 15 min • Cuisson : 15 à 20 min •
Difficulté : 1

1. Allumez un barbecue. Coupez les travers en morceaux
   réguliers. Dans un sac en plastique, réunissez la farine
   et les morceaux de travers, puis secouez le tout.

2. Mélangez le concentré de tomate avec le xérès,
   la sauce soja, le Tabasco et le sucre dans un saladier.
   Plongez les morceaux de travers dans la préparation,
   puis faites-les griller de 15 à 20 minutes en les retournant
   régulièrement. Salez et servez aussitôt.

Mini-brochettes de PORC

> 500 g de porc maigre

Pour la marinade
> 1 feuille de laurier
> 6 cuill. à soupe d'huile d'olive vierge extra
> 1 cuill. à café de cumin en poudre
> 1/2 cuill. à café de thym en poudre
> 1/2 cuill. à café de paprika fumé
> 1 cuill. à café de piment rouge en poudre
> 1 cuill. à soupe de persil ciselé
> Sel et poivre du moulin

Pour 6 à 8 personnes • Préparation : 15 min • Marinade : 4 à 12h • Cuisson : 15 à 20 min • Difficulté : 1

1. Préparez la marinade. Émiettez la feuille de laurier. Dans un grand saladier, mélangez-la avec l'huile, le cumin, le thym, le paprika, le piment, le persil, du sel et du poivre.

2. Coupez le porc en dés de 2,5 cm de côté. Plongez-les dans la marinade, puis remuez soigneusement. Couvrez et réservez 4 heures (ou une nuit) au réfrigérateur en remuant régulièrement.

3. Allumez un barbecue. Enfilez les dés de porc sur des piques à brochettes en bois. Faites griller les brochettes de 15 à 20 minutes en les arrosant de marinade en cours de cuisson et servez.

Le petit goût sucré de l'artichaut se marie merveilleusement à la saveur onctueuse du jambon serrano.

ARTICHAUTS au jambon

- 1,5 kg de petits artichauts
- 1 citron
- 150 g de jambon serrano
- 6 cuill. à soupe d'huile d'olive vierge extra
- 2 cuill. à soupe de saindoux (facultatif)
- 1 cuill. à soupe de persil ciselé
- Sel

Pour 8 à 12 personnes • Préparation : 25 min • Cuisson : 30 à 40 min • Difficulté : 2

1. Éliminez la tige et le tiers supérieur des artichauts, puis détachez les feuilles externes dures en les cassant à la base. Coupez chaque artichaut en deux dans le sens de la longueur et retirez le foin à l'aide d'un couteau. Coupez le citron en deux, puis frottez-en les morceaux d'artichaut. Portez de l'eau salée à ébullition dans une grande casserole. Plongez les artichauts dans l'eau bouillante, puis laissez mijoter de 20 à 25 minutes.

2. Égouttez les artichauts en les retournant et en appuyant délicatement dessus.

3. Détaillez le jambon en dés. Mettez l'huile à chauffer dans une grande poêle à feu moyen, éventuellement avec le saindoux. Faites revenir les dés de jambon et les morceaux d'artichaut de 8 à 10 minutes sur feu doux en remuant régulièrement. Parsemez de persil, puis servez aussitôt.

Si cette recette vous plaît, vous aimerez aussi...

Salade **ARTICHAUTS & FORMAGE**

Salade de **FÈVES**

FÈVES à la catalane

Filet de PORC AU WHISKY

› 400 g filet de porc
› 6 gousses d'ail
› 2 cuill. à soupe d'huile d'olive
  vierge extra
› 2 cuill. à soupe de jus de citron
› 20 cl de whisky
› 2 cuill. à café de fécule de maïs
› 20 cl de bouillon de bœuf
› Sel et poivre du moulin

Pour servir (facultatif)
› Pain

Pour 4 personnes • Préparation : 15 min • Cuisson : 10 à 15 min •
Difficulté : 1

1. Coupez le filet en 4 escalopes, puis salez-les et poivrez-les.
   Pilez l'ail. Mettez l'huile à chauffer dans une grande poêle
   sur feu moyen. Faites revenir l'ail et les escalopes de porc
   de 5 à 10 minutes en les retournant en cours de cuisson.
   Transférez-les sur une assiette et réservez au chaud.

2. Versez le jus de citron dans la poêle sur feu moyen
   en remuant rapidement. Ajoutez le whisky, puis remuez
   de nouveau. Diluez la fécule de maïs dans le liquide
   en mélangeant énergiquement. Versez le bouillon
   et laissez mijoter sans cesser de remuer jusqu'à ce que
   le mélange commence à épaissir.

3. Remettez le porc dans la poêle pour le réchauffer.
   Servez chaud, éventuellement avec du pain.

FOIE DE VEAU au xérès

> 2 oignons
> 3 cuill. à soupe d'huile d'olive vierge extra
> 1 cuill. à café de thym séché
> 1 cuill. à café de basilic séché
> 1 cuill. à café de persil séché
> 25 cl de xérès
> 500 g de foie de veau
> 4 tranches épaisses de pain
> 1 cuill. à soupe de persil ciselé
> Sel et poivre du moulin

Pour 4 à 6 personnes • Préparation : 15 min • Cuisson : 15 à 20 min • Difficulté : 1

1. Pelez les oignons, puis hachez-les. Mettez 1 cuillerée à soupe d'huile à chauffer dans une sauteuse sur feu moyen, puis faites revenir les oignons 4 minutes. Ajoutez les herbes séchées, puis salez et poivrez. Arrosez de xérès, puis baissez le feu et laissez mijoter 2 ou 3 minutes.

2. Coupez le foie de veau en petits dés. Ajoutez-les dans la poêle, puis prolongez la cuisson de 6 à 8 minutes.

3. Détaillez le pain en dés de 2,5 cm de côté. Mettez une petite poêle à chauffer sur feu moyen. Arrosez les dés de pain du reste de l'huile, puis faites-les griller de 3 à 5 minutes. Transférez les croûtons dans la sauteuse, garnissez de persil et servez.

Boulettes de BŒUF À LA SAUCE TOMATE

Cette recette de boulettes de viande à la sauce tomate est un grand classique de la gastronomie méditerranéenne. Vous pouvez également les servir en plat principal avec des spaghettis.

> 3 gousses d'ail

> 2 ciboules

> 1 gros œuf

> 250 g de bœuf haché

> 60 g de chapelure

> 2 cuill. à soupe de manchego (fromage de brebis espagnol) ou de parmesan râpé

> 2 cuill. à café de thym ciselé

> 1/2 cuill. à café de curcuma

> 1 cuill. à soupe de concentré de tomate (facultatif)

> 2 cuill. à soupe d'huile d'olive vierge extra

> 400 g de tomates concassées en conserve

> 2 cuill. à soupe de vin rouge sec

> 1 cuill. à soupe de feuilles de basilic ciselées

> 2 cuill. à café de romarin ciselé

> Sel et poivre du moulin

Pour 4 personnes • Préparation : 15 min • Cuisson : 15 à 25 min • Difficulté : 1

1. Pelez l'ail, puis hachez-le avec les ciboules. Dans un saladier, battez légèrement l'œuf. Ajoutez le bœuf, l'ail, les ciboules, la chapelure, le fromage, le thym, le curcuma, éventuellement le concentré de tomate, du sel et du poivre. Mélangez le tout, puis façonnez de 12 à 15 boulettes de la taille d'une noix.

2. Mettez l'huile à chauffer dans une grande poêle sur feu moyen. Faites revenir les boulettes de 5 à 7 minutes en les retournant régulièrement.

3. Ajoutez les tomates, le vin, le basilic et le romarin dans la poêle. Laissez mijoter de 10 à 15 minutes, salez, poivrez, puis servez.

Si cette recette vous plaît, vous aimerez aussi...

Boulettes de BŒUF À LA SAUGE

Boulettes de PORC À LA CATALANE

Boulettes de VIANDE, AMANDES & PETITS POIS

Boulettes de BŒUF À LA SAUGE

Pour 6 personnes • Préparation : 15 min •
Cuisson : 25 à 30 min • Difficulté : 1

› 1 gros œuf
› 750 g de bœuf maigre haché
› 100 g de chapelure
› 4 cuill. à soupe de lait
› 2 cuill. à soupe de persil ciselé
› 180 g de manchego (fromage de brebis espagnol)

› 30 g de farine
› 60 g de beurre
› 1 brin de sauge
› 12 cl de vin blanc sec
› Sel et poivre du moulin

1. Battez l'œuf dans un bol, puis mélangez-le avec le bœuf, la chapelure, le lait, le persil, du sel et du poivre dans un saladier. Façonnez des boulettes de la taille d'une noix. Coupez le manchego en petits dés, puis enfoncez un dé de fromage au centre de chaque boulette. Roulez les boulettes dans la farine.

2. Mettez le beurre à fondre dans une casserole à feu moyen. Faites revenir les boulettes et la sauge pendant 5 minutes. Arrosez de vin, puis laissez mijoter jusqu'à ce qu'il se soit évaporé. Baissez le feu et laissez mijoter 20 minutes à couvert.

3. Rassemblez les boulettes dans un plat de service. Arrosez de jus de cuisson, puis garnissez de sauge et servez aussitôt.

Boulettes de PORC AUX RAISINS

Pour 4 à 6 personnes • Préparation : 20 min •
Cuisson : 20 min • Difficulté : 1

› 2 brins de romarin
› 1 gousse d'ail
› 2 feuilles de sauge
› 1/2 cuill. à café de graines de fenouil
› 500 g de porc haché

› 16 grains de raisin sans pépin
› 100 g de chapelure
› 1 l d'huile d'olive (pour la friture)
› Sel et poivre du moulin

1. Effeuillez le romarin et jetez ses tiges. Pelez l'ail, puis hachez-le. Ciselez les feuilles de sauge et de romarin. Pilez les graines de fenouil, puis mélangez-les avec l'ail, la sauge, la moitié du romarin, le porc, du sel et du poivre dans un grand saladier. Pelez délicatement les grains de raisin. Façonnez des boulettes de la taille d'une noix en plaçant un grain de raisin dans chacune d'elles.

2. Mélangez le reste des feuilles de romarin avec la chapelure, puis roulez les boulettes dedans.

3. Mettez l'huile à chauffer dans une friteuse ou une grande sauteuse. Faites frire les boulettes 7 minutes en procédant en plusieurs fois. Égouttez-les sur du papier absorbant et servez chaud.

Boulettes de PORC À LA CATALANE

Pour 4 à 6 personnes • Préparation : 15 min •
Cuisson : 5 à 10 min • Difficulté : 1

› 3 gousses d'ail
› 2 gros œufs
› 500 g de porc haché
› 50 g de chapelure
› 2 cuill. à soupe de persil ciselé
› 50 g de pignons de pin

› 1/2 cuill. à café de cannelle en poudre
› 1/2 cuill. à café de noix de muscade en poudre
› 12 cl d'huile d'olive (pour la friture)
› Sel et poivre du moulin

1. Pelez l'ail et hachez-le finement. Dans un saladier, battez les œufs, puis mélangez-les avec l'ail, le porc, la chapelure, le persil, les pignons de pin, la cannelle, la noix de muscade, du sel et du poivre. Façonnez des boulettes de la taille d'une noix.

2. Mettez l'huile à chauffer dans une grande poêle à feu moyen, puis laissez frire les boulettes de 5 à 10 minutes en les retournant régulièrement.

3. Faites chauffer un plat de service, puis déposez du papier absorbant au fond de celui-ci pour qu'il absorbe l'excédent de graisse des boulettes. Rassemblez les boulettes dans le plat chaud et servez.

Boulettes FROMAGE, JAMBON & SÉSAME

Pour 4 à 6 personnes • Préparation : 20 min •
Réfrigération : 4 h • Cuisson : 20 min • Difficulté : 2

› 75 g de farine
› 1/2 cuill. à café de levure chimique
› 1/2 cuill. à café de paprika
› 2 gros œufs
› 120 g de manchego râpé (fromage de brebis espagnol)

› 60 g de dés de jambon
› 6 cuill. à soupe de graines de sésame grillées
› 1 l d'huile d'olive (pour la friture)
› Sel et poivre du moulin

1. Mélangez la farine avec la levure et le paprika dans un saladier. Battez les œufs dans un bol, puis incorporez-les progressivement au mélange. Ajoutez le fromage et les dés de jambon, salez, poivrez, puis mélangez le tout.

2. Façonnez des boulettes de la taille d'une noix. Réservez-les au moins 4 heures au réfrigérateur.

3. Roulez les boulettes dans les graines de sésame. Mettez l'huile à chauffer dans une friteuse ou une grande sauteuse, puis faites frire les boulettes 7 minutes en procédant en plusieurs fois. Égouttez-les sur du papier absorbant et servez .

Les boulettes de viande se trouvent couramment sur la carte des bars et des restaurants espagnols. Celles qui suivent sont enrobées d'amandes en poudre qui parfument agréablement les petits pois.

Boulettes de VIANDE, AMANDES & PETITS POIS

> 1 oignon
> 60 g de lard
> 2 gros œufs
> 250 g de veau haché
> 150 g de porc haché
> 60 g de chapelure de pain frais
> 75 g d'amandes en poudre
> 4 cuill. à soupe d'huile d'olive vierge extra
> 1 tomate
> 75 cl d'eau
> 300 g de petits pois
> Sel et poivre du moulin

Pour 4 à 6 personnes • Préparation : 15 min • Cuisson : 30 min • Difficulté : 1

1. Pelez l'oignon, puis émincez-le avec le lard. Dans un saladier, battez légèrement les œufs, puis mélangez-les avec la moitié de l'oignon, le lard, le veau, le porc, la chapelure, du sel et du poivre.

2. Mettez les amandes en poudre dans un bol. Prélevez 1 cuillerée à café de préparation à base de viande, puis roulez-la dans les amandes pour former une boulette. Répétez l'opération avec tout le contenu du saladier.

3. Mettez l'huile à chauffer dans une grande poêle à feu moyen, puis faites revenir le reste des oignons 5 minutes. Pendant ce temps, pelez la tomate et hachez-la grossièrement. Ajoutez-la dans la poêle, puis laissez mijoter 5 minutes. Versez l'eau dans la poêle. Salez, puis ajoutez les petits pois et les boulettes. Laissez mijoter 20 minutes à couvert et servez.

Si cette recette vous plaît, vous aimerez aussi...

Boulettes de BŒUF
À LA SAUCE TOMATE

Boulettes de BŒUF
À LA SAUGE

Boulettes de PORC
AUX RAISINS

Croquettes POMMES DE TERRE & JAMBON

› 500 g de pommes de terre
› 15 g de beurre
› 2 gros œufs
› 12 cl de lait
› 150 g de farine
› 100 g de jambon serrano
› 12 cl d'huile d'olive
  (pour la friture)
› 50 g de chapelure
› Sel et poivre du moulin

Pour 4 à 6 personnes • Préparation : 25 min • Réfrigération : 1h • Cuisson : 30 à 40 min • Difficulté : 2

1. Pelez les pommes de terre et faites-les cuire de 20 à 25 minutes dans une casserole d'eau bouillante salée. Égouttez-les et mettez-les dans un saladier avec le beurre, puis écrasez le tout. Cassez 1 œuf au-dessus d'un bol en séparant le blanc du jaune et réservez le blanc au réfrigérateur. Incorporez le jaune d'œuf, le lait et la farine à la purée. Hachez le jambon, puis intégrez-le à la préparation, puis salez et poivrez. Prélevez des cuillerées à soupe de préparation et façonnez des croquettes. Réservez-les au moins 1 heure au réfrigérateur.

2. Mettez l'huile à chauffer dans une grande poêle à feu moyen. Mettez la chapelure dans un bol. Battez l'œuf restant avec le blanc réservé, puis plongez les croquettes dedans et roulez-les dans la chapelure.

3. Faites frire les croquettes de 3 à 5 minutes en procédant en plusieurs fois. Retirez-les à l'aide d'une écumoire, puis égouttez-les sur du papier absorbant et servez.

Sandwichs FROMAGE & JAMBON

- › 4 tranches de pain de mie
- › 2 tranches de jambon serrano
- › 2 tranches de manchego (fromage de brebis espagnol)
- › Les blancs de 3 gros œufs
- › 6 cuill. à soupe de lait
- › 4 cuill. à soupe d'huile d'olive vierge extra
- › Poivre noir moulu

Pour 4 à 8 personnes • Préparation : 20 min • Cuisson : 6 à 8 min • Difficulté : 1

1. **Retirez** la croûte du pain et jetez-la. Posez 2 tranches de pain sur le plan de travail. Ajoutez le jambon, puis le fromage. Poivrez. Couvrez avec les tranches de pain restantes, puis pressez délicatement les sandwichs.

2. **Fouettez** les blancs d'œufs avec le lait dans un saladier. Coupez les sandwichs en quatre, puis plongez-les dans le saladier. Laissez reposer 5 minutes et retournez les sandwichs.

3. **Mettez** l'huile à chauffer dans une grande poêle sur feu moyen, puis faites frire les sandwichs 3 ou 4 minutes de chaque côté et servez.

Typique de Grenade et de la variété culturelle de sa région où cohabitent mer et montagne, cette tortilla est divine si vous la nappez d'aïoli et que vous la servez chaude.

Tortilla JAMBON & MANCHEGO

› 2 chorizos
› 500 g de pommes de terre
› 1 oignon rouge
› 1 gousse d'ail
› 4 cuill. à soupe d'huile d'olive vierge extra
› 6 gros œufs
› Le zeste de 1 citron non traité râpé
› 60 g de manchego en copeaux (fromage de brebis espagnol)
› 15 g de persil ciselé
› Sel et poivre du moulin

Pour servir
› 1 portion d'aïoli (voir la recette p. 82)
› Manchego en copeaux (facultatif)

Pour 6 à 8 personnes • Préparation : 15 min • Cuisson : 20 à 35 min • Difficulté : 1

1. Coupez les chorizos et les pommes de terre en fines tranches. Pelez l'oignon, émincez-le, puis pilez l'ail. Mettez 2 cuillerées à soupe d'huile à chauffer dans une poêle sur feu moyen. Faites revenir le chorizo 3 minutes, puis transférez-les dans un saladier à l'aide d'une écumoire.

2. Versez le reste de l'huile dans la poêle. Laissez revenir l'oignon et l'ail 4 minutes, puis ajoutez les pommes de terre et prolongez la cuisson de 5 minutes. Égouttez en réservant l'huile et mélangez la préparation avec le chorizo.

3. Fouettez les œufs avec le zeste de citron dans un autre saladier. Salez, poivrez et versez le mélange sur la préparation. Incorporez le manchego et le persil, puis réservez.

4. Allumez le gril du four à température maximale. Mettez l'huile réservée à chauffer sur feu moyen dans une poêle allant au four. Transférez la préparation dans la poêle. Faites cuire la tortilla de 6 à 8 minutes. Enfournez pour 5 minutes, puis servez avec de l'aïoli et éventuellement du manchego.

Si cette recette vous plaît, vous aimerez aussi...

Tortilla FROMAGE & ROQUETTE

Tortilla au CHORIZO

Sandwichs FROMAGE & JAMBON

INDEX